A JOURNAL OF CONTEMPORARY WRITING

IRISH PAGES

DUILLÍ ÉIREANN

IRISH PAGES is a biannual journal (Spring-Summer, Autumn-Winter), edited in Belfast and publishing, in equal measure, writing from Ireland and overseas. It appears at the end of each six-month period.

Its policy is to publish poetry, short fiction, essays, creative non-fiction, memoir, essay reviews, nature-writing, translated work, literary journalism, and other autobiographical, historical, religious and scientific writing of literary distinction. There are no standard reviews or narrowly academic articles. Irish language and Ulster Scots writing are published in the original, with English translations or glosses. IRISH PAGES is a non-partisan, non-sectarian, culturally ecumenical, and wholly independent journal. It endorses no political outlook or cultural tradition, and has no editorial position on the constitutional question. Its title refers to the island of Ireland in a purely apolitical and geographic sense, in the same manner of The Church of Ireland or the Irish Sea.

The sole criteria for inclusion in the journal are the distinction of the writing and the integrity of the individual voice. Equal editorial attention will be given to established, emergent and new writers.

The views expressed in IRISH PAGES are not necessarily those of the Editors. The magazine has no editorial or financial connection to the Linen Hall Library or its Directors. It is published by Irish Pages Ltd, a non-profit organisation.

Submissions are welcome but must be accompanied by return postage or an international reply coupon. No self-addressed envelope is required. Reporting time is six months. If work is accepted, a copy on disk may be requested.

Your subscription is essential to the independence and survival of the journal. Subscription rates are £16stg/€26/$45 for one year. Visit our website at www.irishpages.org for a subscription form or to order online. Credit cards are welcome.

IRISH PAGES
The Linen Hall Library
17 Donegall Square North
Belfast BT1 5GB

Advisory Board
Jonathan Allison
John Gray
Maureen Mackin
Bernard O'Donoghue
Daniel Tobin

Editorial Assistant: Ben Maier
Legal and Media Advice: Kathy Mathews, Johnsons Law, Belfast/Dublin/London

IRISH PAGES is designed by Tonic and set in 12/14.5 Monotype Perpetua.
It is printed in Belfast by Nicholson & Bass.

This issue has been generously asssisted by Foras na Gaeilge
and the Arts Councils of Northern and Southern Ireland.

ISBN 978-9561046-6-3

Foras na Gaeilge

IRISH PAGES

CHRIS AGEE, *Editor*

CATHAL Ó SEARCAIGH, *Irish Language Editor*

SEÁN MAC AINDREASA, *Managing Editor*

EDITED IN BELFAST
VOLUME 5, NUMBER 2

IRISH PAGES

DUILLÍ ÉIREANN

———

VOLUME 5, NUMBER 2

CONTENTS

An tEagrán Gaeilge / The Irish Issue

Neil Shawcross
By Bobbie Hanvey

THE VIEW FROM THE GLEN

Cathal Ó Searcaigh

I'm writing this on a Sunday evening as a soft velvety dusk hugs the hills. The glen is awash in a glow of purple. I'm more in tune with this lovely twilight of blackbird, lark and cuckoo than I am with the cacophony of a city and its stammering orchestra of bass-tuba traffic. In this open space I have a freedom to look, listen and dream. In this rural amplitude I give my soul to my senses.

Drawing water from the well a wee while ago I watched the sun creep across the hills. Like returning cows I heard the brown bogs low contentedly in the declining light. Being of these hills I want nothing more than to hold this landscape in my arms, stroke its ruddy cheeks of heather, smell the gorse in its hair, kiss its evening eyes.

I like to think of myself as a citizen of the green constituency of the wild.

Whatever about this ruling government in Dublin I have my very own thrilling assembly in the garden, my Dáil of warblers, my Senate of grasshoppers whose governance is clear and lucid; a green supremacy of song. Marcus Thrush Aurelius, my emperor of dawn and dusk, holds sway on the hedgerow, delighting me with his well-tuned truths. Here everything is ratified by song.

Now, earth and sky merge and blend. Soon, I will hear the stars chirping like crickets in the lea-fields of the sky.

A millennium ago a Chinese poet remarked, "a thousand years may be beyond me but I can turn this moment into an eternity".

Poised above Achla Mór the quarter moon is a beautiful ear. I let whoops of delight.

———

I am a devotee of Li Po and Tu Fu, two seers of the T'ang dynasty. I love the clear-sighted clarity of their poems. They remind me of light through doors, the light thrown out of houses on winter evenings at dusk when the doors are still slightly ajar. The wealth of that light, especially in the hilly townlands where I live, where the houses are few and far between, has always been inviting. The spill of light from these poems is what draws me in.

I am also reading Mary Oliver, a poet who looks at things with the same clear-sighted Chinese attentiveness as the T'ang poets. Silence is brought acutely to speech in her poems, sparingly and patiently. She has the knack to flip the common phrase and make it spin with a brand-new, guinea-bright shininess, giving it a lovely currency of clarity. She is an activator of the common phrase, finding in it a source of mystery and a subtlety of melody that delights me to the full, throbbing end of my coccyx.

Like Mary Oliver, I'm a born-again pastoralist and proud of it.

These mornings, I'm wakened early by the scent of flowering shrubs. I'm keen to live in the present. Too many people live life as if it were a rehearsal, a try-out, a dry run for the real thing, the authentic life to come further down the road. The urgency of the moment, the shock of the now is more potent to me than the promise of the future. "Jump into experience while you are alive", Kabir, the Indian mystic poet, urged his followers. I believe in beginning my journey anew each day.

I have lucid moments in my garden, luminous ones, even.

FUSCHIA

You're the talk of the garden,
you with your purple knickers
in full view of the fern —
that rigid bishop
with his crozier.

ROSES

Country girls from the 1940s
you stand at my gable
flounced up and in bows
and give me the eye
soft as a cow.

Some people are so hardened, so tough-skinned, so rhinocerized, that, as Eugene Ionesco said, a single flower wouldn't grow on them. I favour poets who flower in and out of season.

I would also concur with Joe Gould, the legendary down-and-out Greenwich Village sage, who said that the best path to enlightenment was to be a Buddist in winter and a nudist in summer. That means to be truly alive to the beat and thump, the flow and tempo of your own being.

In the light of what I have been saying these are my guidelines to open up, to become a willing participant in the joyful mysteries of the here and now.

Be a seer. Take notice of ripples of light and the drift of smoke.

Don't give anyone the cold shoulder. Befriend bugs.

Open out. Have a bawdy chat with a wild flower. Flirt with a pansy.

Religious texts are surrealist manifestos. Smile in church.

An old garden in the moonlight. That's your doorway to the marvellous.

Once a week be a bed of rumpled pleasures.

Listen to megalithic rumbles from your past. The Stone Age is still in your genes. Let the spirit of things reveal themselves to you. Listen to the song of stones.

Improvise. Be a slinky jazz-tune, avoid jaded kisses and shrivelled smiles. Joy is portable. Carry it always.

Allow birdsong into your talk. Your words will become more tender.

Plant an apple tree even if it's the end of the world.

Listen to your heart as if it were a diva in your private opera.

Be a brent goose. Migrate.

Keep loose. Don't let institutions wall you in.

Acquaint yourself with Death. Study gravestones.

Throw away the road-maps. Follow your ley-lines.

———

"Cad é an ealaín atá ort?" a deirtear leis an té a bhfuil rud inteacht as an choitiantacht ar bun aige.

Ar na mallaibh tá cuid mhór daoine ag ealaín sa Ghaeltacht. Is maith ann iad le muid a bhaint as ár gcleachtadh le geit na healaíne. I ré seo an bheaguchtaigh ní daoine díograiseacha amháin atá uainn ach daoine dúisithe; daoine a bhfuil spiorad na fiosrachta agus spiorad na fiontraíochta go smior iontu. Aos ealaíon atá uainn; díograiseoirí dúisithe, tionscnóirí dána a bhfuil soiléireacht shúiloscailte na filíochta ina ndearcadh. Seers na samhlaíochta! Saoránaigh i bpoblacht an tsolais. Cúis áthais domh go bhfuil líon mór d'aicme seo an aoibhnis ag feidhmiú ar fud na Gaeltachta ó dheas agus ó thuaidh. Cuireann siad go mór le saol an spioraid agus le saol na samhlaíochta sna pobail éagsúla ina bhfuil siad ag saothrú.

Dá mhéad a mothaíonn pobal ar bith go bhfuil rud inteacht suntasach, rud inteacht pearsanta dá gcuid féin, le bronnadh acu ar an chine daonna i gcoitinne, is amhlaidh is mó a bheas meas acu orthu féin agus dá réir sin, tá súil agam, meas acu ar dhaoine eile chomh maith. Is é ár ndán, ar ndóigh, a bheith rannpháirteach i gcinniúint a chéile. Caithfidh muid comharsanacht mhaith a dhéanamh lenár gcomhdhaoine cé acu i nGaza atá cónaí orthu nó i nGleann an Átha. Cothaíonn an ealaín, dar liomsa, dáimh agus daonnacht i ndaoine sa chruth go dtig leo comhpháirtíocht cheana a bheith acu leis an chrann ar an chnoc, leis an fheithid san fhéar, leis an Dia sa duine agus an duine i nDia. I ndáiríre, is iad na healaíontóirí teachtairí an tsolais. Tá siad ag tógáil droichid dúinn thar an duibheagán; ag tabhairt cuireadh dúinn dul isteach i saol na samhlaíochta. Tá siad ag rá linn go neartaíonn an ealaín ár gcomhbhá leis an duine agus leis an dúlra agus dá bharr sin, go gcuireann sí le leas agus sláinte an phobail.

Sa Ghaeltacht tá tábhacht ar leith le gné chultúrtha na n-ealaíon. Tá aos ealaíon na Gaeltachta, tchítear domhsa, ag cur saoithiúlacht ár sinsear in oiriúint do shaol ár linne. Tá athghabháil agus athnuachan ar siúl acu. I dtaca leis na dearcealaíontóirí de, cuir i gcás, is léir gur fhág saoirsineacht na gclaíocha cloch lorg ar a gceird, gur fhoghlaim siad ceacht na foighne ó fhear déanta cléibh, gur tuigeadh daofa cad is cruth ann ó leagan amach na gcruacha móna. Chuaigh ealaín shároilte ár gcuid mná cniotála, ár gcuid fíodoirí báinín chun fónaimh daofa. Ag an am céanna, níl siad teanntaithe taobh istigh de sheanmhúnlaí agus de sheanstruchtúir a bhfuil súlach na maitheasa súite astu le fada an lá. Tá na healaíontóirí seo ar fad, gach duine acu ina dhóigh féin, ag snaidhmeadh dual den tsean, dual den nua i ngréasán móraigeanta na healaíne. Tá siad ag rá linn ina mbealach Mac Griannach féin – bealach nach bhfuil ceangailte idir dá cheann na himní – bogfaidh mise agus bogfaidh tusa agus bogfaidh muid le chéile i rince geal na healaíne.

Tá siad ar fad dearfach faoi áit lárnach na teanga i saol na n-ealaíon Gaeltachta. Glacann siad leis go bhfuil an teangaidh ábalta freastal ar gach cor agus casadh ina n-aigne; go bhfuil sé de bhua aici muid a fhairsingiú seachas muid a chúngú. Níl aon lé acu leis an tseandearcadh diúltach úd a déarfadh go raibh an Ghaeilge seanfhaiseanta, teoranta, cúlaigeanta.

Tá aos ealaíon na Gaeltachta, go fiú iad siúd nár de bhunadh na háite iad ar chor ar bith ach a tháinig chugainn le cónaí inár measc, tá siad den tuairim go gcaithfimid ár dtodhchaí a fhí as an Dúchas. Tá a gcuid ealaíne ag tabhairt orainn, bíodh sé sa scríbhneoireacht nó ina scannán, bíodh sé sna dearcealaíona nó sa drámaíocht, gan ligean do shnáithe ár scáile gabháil in aimhréidh idir Tuirne Mháire agus Fruit of the Loom. Tuigtear do na healaíontóirí seo go ndeachaigh Caitlín Ní Uallacháin ar strae áit éigin idir Cath Chionn tSáile agus an Chinese Take-Away agus go bhfuil sé de chúram orthu í a aimsiú sa chruth go dtig cor agus casadh úr a chur ina cinniúint. "Cá bhfios?", arsa siadsan d'aon ghuth, "ná go dtiocfaidh sí inár láthair aríst agus 'gné ar a craiceann míle uair níos taitmhí ná éirí maiseach na gréine'."

Cé go bhfuil aos ealaíon na Gaeltachta dílis don Dúchas níl siad ar dhóigh ar bith teanntaithe ag an traidisiún sin. Díograiseoirí dúisithe atá iontu atá i dtólamh ag trasnú teorainneacha úra tuisceana. Má tá muid ag brath ár mbrionglóidí a fhíorú, a deir siad, caithfimid fanacht muscailte. Caithfimid fanacht foscailte. Dá bharr sin, níl siad doicheallach roimh athruithe. Cuid thábhachtach den tsaol is ea breith agus bás. Athnuachan agus athrú! Tuigeann siad gur fearr coiscéim amháin chun tosaigh ná dhá choiscéim chun deiridh. Tuigeann siad go gcaithfimid a bheith saor ó luachanna seargtha agus ó nósanna calctha. Tá ealaíontóirí comhaimseartha na Gaeltachta ag cur cor úr i ndán an Dúchais.

DHÁ DHÁN

Máire Mhac an tSaoi

T'INÍON T'INÍON GO DEO –

Bhí sí i gcónaí tostach ar maidin:
Ar nós Mheiriceánaigh mhná ná fuair a cupán caifé.
Niombas mar luan láich uimpi an tost san,
An bhuaintseasamhacht, an ciúineas, go dtí
Go mbriseann uirthi a gean gáire; ansan
Ritheann drithleoga solais ar fuaid na láithreach;
Is í aeráid an teaghlaigh í,
Caoin, suáilceach, deáirbreach:
Ar ndúnárus iontruist.

CEANN BLIANA

Cóirím mo chuimhne chun dulta dhi 'on chré,
Fillim spíosraí san eisléine léi agus airgead cúrsach;
Tá sneachta fós ar ithir na cille;
Sínim le hais an choirp ar mo leabaidh.

Duine de na scríbhneoirí Gaeilge is tábhachtaí de chuid na haoise seo caite í Máire Mhac an tSaoi, a rugadh i 1922 agus a fuair a hoideachas ag Coláiste Ollscoile Bhaile Átha Cliath agus an Sorbonne. I 1956 a foilsíodh a céadchnuasach dánta, Margadh na Saoire (Sáirséal & Dill); tháinig an ceann is déanaí, Shoa agus Dánta Eile (Sáirséal Ó Marcaigh), i 1999. I 2003 foilsíodh a beathaisnéis ardmholta, The Same Age as the State (O'Brien Press). Bhí sí pósta ar Chonor Cruise O'Brien (1917–2008) agus tá cónaí uirthi i mBinn Éadair, Co Bhaile Átha Cliath.

AN CHLÁIRSEACH AGUS AN CHORÓIN
(Ceithre Shliocht)

Liam Mac Cóil

Leathanaigh as dialann impriseanaíoch bunaithe ar sheacht siansa Charles Villiers Stanford.

1 Réamhcheol

Tógaim orm inniu (*atomriug indiu*: "I bind unto myself today") an tasc seo: éisteacht le ceolsiansaí Charles Villiers Stanford ó thús deireadh agus scríobh fúthu. Déanaim é, ní mar a bhí i gceist agam, maidin chiúin éigin agus an teach fúm féin agam, ach anois, tráthnóna Dé Domhnaigh, tar éis tae, agus go leor teachta agus imeachta tríd an seomra; caint ar thorthaí spóirt, mar shampla: céard a tharla do Shligeach sa dara leath i gcoinne Bhaile Átha Cliath? Etc. Ná ní le Stanford a thosaím, ach an oiread, ach le Mozart.

Níl a fhios agam cén fáth, ach tarlaíonn sé go bhfuil an Coinséartó do Chláirnéid in A mór, K. 622, ar siúl ar an seinnteoir faoi láthair. Ach tá a fhios agam an méid seo: tá seinm Mhichael Collins chomh sciliúil, séimh, caolchúiseach sin, go bhfuil sé diabhalta deacair dom scríobh agus éisteacht leis. Ní ag baint de shárchumas tomhaiste Cheolfhoireann Náisiúnta na Rúise é (faoi stiúir Mhikhail Pletnev) a bhí ag réiteach chuig an teacht i láthair seo le dhá nóiméad, ach is nuair a thosaíonn céad nótaí sin na cláirnéide a sheoltar isteach i gceart muid i saol atá chomh sibhialta suáilceach sin gur deacair gan chreidiúint ann.

Leantar den chriostalacht cheoil seo sa dara gluaiseacht ach cuireann cumha pléisiúrtha an téama – tá giolcach na huirlise tar éis téamh píosa, déarfá, mar tá an fophiachán tarraingteach a bhí le haireachtáil, scaití, sa chéad ghluaiseacht, imithe anois – go dtuigimid nach suáilcí ar fad atá sa saol seo; ní hea ach gur sa saol braonach seo a bhfuilimid ag maireachtáil ann atá an ceol féin lonnaithe – ainneoin go ndúirt Wittgenstein gur saol eile é. Ach, os a choinne sin, faoi ocht nóiméad déag, tá an chláirnéid agus an cheolfhoireann ag sreabhadh chomh muiníneach neamh-chomhfhiosach sin le chéile gur deacair fós a chreidiúint nach fíor dó seo uile, nach saol ann féin é an ceol, i ndeireadh báire, ar leithligh ar fad ó ghleann seo na smál.

Sin é an áit a bhfuil an paradacsa. Tugann an ealaín, an dúlra, ócáidí dea-imeartha spóirt (corruair) agus gnéithe fánacha eile den saol – ár gcaidreamh lenár gcomhdhaoine (in amanta) — isteach i saol eile muid ar deacair dúinn a shamhlú mar chuid dhílis den saol seo é ach gur geall é le bheith ag seasamh i gceann de phóirsí teorantacha na bhFlaitheas, forsheomra i bhfad amach de chuid na síoraíochta.

Deacra fós a shamhlú gur bogadh ceimiceán san inchinn faoi ndear an rud uile, nó athlasadh beag san amagdaile, nó néaróin áirithe a bheith á splancadh, nó sionapsaí a bheith á dtrasnú. Is é sin, nach bhfuil i gceist dáiríre ach go mbeireann an intleacht ábhartha ar theicníocht shleamhain dhea-mhéiniúil éigin sna nótaí ag 23 nóiméad 30 soicind a spreagann ionoirfín, nó substaint éigin eile, séireatoinin, b'fhéidir, agus go dtugann sin taitneamh dúinn.

Ach más drithle bheag éigin den saol eile atá ann, cá bhfágann sin teagasc iliomad creideamh riamh anall nach mbaineann nithe saolta mar cheol, damhsa, spórt — "this beauty that will pass" — leis na Flaithis? Más fíor dóibh sin is i ndiúltú do na rudaí sin atá pléisiúr an tsaoil eile le brath, sa séanadh, sa troscadh, sa chomhaireamh anála, sa chrosbhigil.

2 An Siansa Éireannach

Deirtear faoin bhfíon maith go mbíonn sé cothrom nó "well balanced". Mar sin atá an ceol seo. Ar bhonn maith tonach na ndord, tá na heatánóil ag spraoi. Tá na leideanna riachtanacha ar fad á dtabhairt: an chaithréim, an brón, an sólás, an caoineadas. Tá an chéad ábhar fearúil groí, an dara hábhar, a thosaíonn ag barra 67, titimeach séiseach leathchumhach. Ritheann an focal "máthair" liom agus "máthairthír". Agus thar an dreach tíre i gcónaí (barraí 213–219), scáth na scamall ag gluaiseacht; ag babhtáil le scaladh gréine, dorchú léana; ansin bailc báistí sa ghleann ag barra 227, agus sin féin ag síothlú go barra 256, ar chláirnéid *solo, espressivo*, nuair a fhilleann an dara hábhar ar na cláirnéidí agus ar na fliúiteanna i mbarra 260 agus go dtosaíonn an cuntraphointe i mbarraí 275–282 ag fógairt conclúide a thagann nóiméad go leith ina dhiaidh sin go leathan scuabach dordach.

> *Erin, the tear and the smile in thine eyes*
> *Blend like the rainbow that hangs in the skies;*
> *Shining through sorrow's stream,*
> *Sadd'ning through pleasure's beam,*
> *Thy suns, with doubtful gleam*
> *Weep while they rise.*

An méid sin luaite ag Joseph Bennett – iriseoir ceoil ag an am – leis an siansa dar le John F. Porte ina leabhar faoi Stanford a foilsíodh i 1921, *Sir Charles V. Stanford*. Is cliché míthaitneamhach linne, inniu, é, b'fhéidir, ach cá bhfios nach sna téarmaí sin a chonaic Stanford féin mianach a thíre dúchais – nó an taobh Gaelach di agus gan aon aithne mórán aige air – ainneoin na lochtuithe ar chóirithe Mhoore.

Tagann an dara gluaiseacht – meidhreach – ar shála an chéad cheann ar bhealach drámatach codarsnach. Cuimhním an uair seo ar George Moore agus na capaill – ní baileach Somerville agus Ross, bíodh is go bhfuil siadsan i gceist chomh maith – ach na scéalta a insíonn Moore i dtosach *Hail and Farewell*:

> A moment after they were galloping over the rough fields, bounding over the stone walls, the ragged peasantry rebuilding the walls for the next race, waving their sticks, running from one corner of the field to another, and no one thinking at all of the melancholy line of wandering hills enclosing the plain.

Tá an ghluaiseacht seo éadrom aerach, geall leis, ach tá an ceol seo freisin scagtha trí chriathar gruamach éigin – nó tá srian éigin á choinneáil le capall úd na samhlaíochta, ná ní chun aimhleasa an cheoil is na healaíne é: is cuid de chotadh uasal an ealaíontóra é, cuid dá phearsantacht ealaíne. Agus nuair a ligeann sé leis an sodar nóiméad isteach sa ghluaiseacht, tá marcaíocht bhreá againn ar geall le saoirse í. Nóiméad eile beagnach agus tá Rossini Gaelach againn. Moillítear an luas le luascadh an dara hábhair i mbarra 88, atá marcáilte *l'istesso tempo*, is é sin croisín cothrom le croisín go leith. Nuair a thagann an t- athrá ar an gcéad ábhar i mbarra 128 (*allegro molto vivace* agus croisín go leith cothrom le croisín an uair seo), tar éis athdhéanamh ar an tséis a thosaíonn i mbarra 100, agus é anois i gcomhthéacs na sreanga malla is na ndrumaí tomhaiste a chuaigh roimhe, cloisimid cé chomh mór is atá an fhantais angla-éireannach ann – an "whimsey" – nó an "whiskey" go fiú – é chomh haerach le haon rud le hAllingham nó le Ferguson nó le Somerville agus Ross. Agus nuair a thagann séis an tsodair arís i mbarra 154 agus na fliúiteanna, cláirnéidi, basúin, coirn, agus truimpéid, ar fad ag seinm le chéile *forte* – "the rollicking dance mood ... is the pre-dominating one, and presently has a welcome return" (mar a deir Porte ar leathanach 34) – ceapaimid nach bhfuil tír níos deise ar dhromchla na cruinne – cinnte le haghaidh marcaíochta, iascaigh, is lámhaigh. Ach tá greim ag Stanford ar an srian i gcónaí – bíodh is nár chuid bheag dá ealaín gur ligeamar sin i ndearmad – agus feiceann muid a fhiúntas sin i mbarra 229 is muid ag dul ar cosa in airde i dtreo an deiridh.

Cláirseach dhiamhrach chiúin a chuireann tús leis an tríú gluaiseacht, *Andante con moto*. Seo ceo misteach an locha is na giolcaí is na bhfuiseoga maidine – tá banlaoch óg rómánsúil áit éigin ar na gaobhair – tá a scéal le cloisteáil ar an gcláirnéid mhachnamhach i mbarraí 27–35, a leantar le stoitheadh sreanga ar an dordveidhil, (i mbarra 42, *pizz. mf*) agus a phiocann na sreanga eile suas i mbarraí 42–3 ar bhealach chomh báúil. Ach ní haon scéal faoi leith é, nó cás tragóideach aon chailín áirithe faoi leith, Deirdre abair, ach atmaisféar iomlán na mochmhaidine nuair atá gach rud chomh hairgeadúil éiginnte sin go gcuirtear ina luí orainn go gcaithfidh scéal a bheith anseo áit éigin, nó iarsma de scéal, nó tús scéil – caoineadh bog nach gcloistear – ach a bhfuil a mhianach á insint go héanúil ag na feadóga i mbarraí 66–75: óbónna agus fliúiteanna a sheinneann tar éis an *rallentando*, *solo a tempo ma tranquillo*; solo an dá cheann ag babhtáil ar a chéile go ciúin, agus ag leoithne fannghaoithe ar na sreanga i mbarra 76. Is é sin go dtí go dtagann an bhagairt mhór i mbarraí 111–113 ar na trombóin – í marcáilte *p* sa scór – agus trostal an tslua i mbarra 131 arb iad cordaí na ceolfhoirne iomláine *ff* a thosaíonn é, in éineacht leis na drumaí; slua nach ann dóibh dáiríre ach ar slua sí fíochmhar iad a chumtar as an aer. Tar éis dóibh a mbuabhall neamhchorpartha cogaíochta agus caithréime práis a shéideadh leis an spéir, imíonn leo arís isteach sa cheo agus filleann orainn gnáthchruthanna an locha. Le seinm athuair na cláirsí scaipeann an ceo. Cloisimid i bhfad i gcéin an t-arm aerga ag máirseáil leo, imíonn; agus tosaíonn cúraimí an lae ag cruinniú inár n-intinn. Tógaimid an bóthairín aníos ón loch agus cuimhní na scéalaíochta samhalta fós ag déanamh macallaí faonlaga sa chloigeann; casadh thart amháin i mbarra 187 chun súil dheireanach á caitheamh ar an loch, is cloisimid in athuair an buabhall i bhfad i gcéin, agus i mbarra 193, an téama cáiliúil conspóideach, *p* ar *corni solo*, chláirseach an cheo á scuabadh de dhromchla an uisce.

Pléascadh práis a chuireann tús leis an gceathrú gluaiseacht. Gleadhradh nó fógairt ghiorraisc dúiseachta. Seo rud eile arís; seo í an stair; seo Brian Bóramha ar an bhfód; seo cóireáil chogúil ar amhráin de chuid Moore; go leor stoitheadh ar na sreanga go dtugtar amach an tséis iomlán in F beag, gléas an tsiansa, i mbarra 15: "Remember the glories of Brien the Brave".

Ní haon bhoiscín snaoisín é seo. Seo Cluain Tarbh chomh maith is a d'fhéadfadh aon cheoltóir de chuid na naoú haoise déag é a léiriú. Tá muinín gheal neamh-amhrasach an mheáin lae anseo. Cén duine de chlann an oileáin iathghlais nach mbeadh a chroí ar lasadh leis an gcaithréim – é sioncóipithe ar dtús – a chloistear ó bharra 55 ar aghaidh? Tá séis mhaorga a cheapaimse is le Stanford féin i mbarra 81, con largezza, agus í níos séimhe. Agus tríd sin tagann ráiteas prásach neamh-amhrasach míleata ar an truimpéad, trombe agus tromba, i mbarra 163: ceol iomlán Moore tugtha gan bhriseadh gan bhearna gan obadh gan earráid: "Let Erin remember the days of old".

Agus an ráiteas sin tugtha, téitear ar aghaidh go deithneasach leis an gcoimhlint chláimh agus clogad, tua agus targaid, "he returns to Kincora no more"; agus ní raibh ceol úd Bhriain Bóramha chomh mórtasach agus a fhorbairt chomh stáidiúil díniteach go dtí anois – caithréim dhosháraithe i mbarra 237 agus stáidiúlacht chaithréimeach (téama Stanford) i mbarra 254.

Leantar ar aghaidh le barraí beaga de "Let Erin Remember" go dtosaítear ag tógáil i dtreo na buaice le rolla drumaí domhaine i mbarraí 295–6 go bpléascann le domhaintrombóin phrásacha iomlán an amhráin. Tosaíonn ag teacht chun deiridh le séis mhaorga ("Let Erin Remember" arís) i mbarra 311, ar na trombe agus na trombóin ar fad agus tosaíonn athrá "Let Erin Remember" i mbarra 322. Tig linn na focail "when Malachy wore the collar of gold" a rá le barra 330: tá caithréim an bhua chomh neamhleithscéalach prásach mórbhuaiceach le haon cheol toirtéiseach dá léithéid. Tá an dara "Let Erin remember" chomh mór sin go dtabharfadh sé deora chun súile aon Éireannaigh a chloisfeadh é faoi láimh Bhülow i mBeirlín, nó ag chéad oíche oscailte an Concertgebouw in Amstardam, nó faoi láimh Mhahler i Nua-Eabhrac. Má chiallaigh an nathán beag "proud to be Irish" tada, chiallaigh sé na huaireanta sin é – an mó Éireannach a bhí i láthair? an mó Gael a chuala séiseanna suairce seo a mhuintire? *Finale*.

3 *Tír agus Tallann*

Bhí a fhios agam le tamall gur duine é Hubert Butler ar cheart dom a chuid aistí a léamh. Ach ní móide gur léigh mé aon rud leis ach corr-abairt nó dó a bhí leabaithe i saothar duine éigin eile. Má chonaic mé leabhar leis, agus b'fhéidir go bhfaca mé bailiúchán éigin bliain nó dó ó shin, caithfidh go raibh an praghas ró-ard dom ag an am nó an t-ábhar ró-aistreánach. Ach Déardaoin seo caite tharla mo shúil ar leabhar tiubh den teideal *Independent Spirit: Essays*. In Books Upstairs i mBaile Átha Cliath a bhí sé. Bhí beagnach €15 air agus dar liom gur luach an-réasúnta é sin ar leabhar chomh toirtiúil le fear a bhí molta chomh hard.

Níor airgead amú é. Bhí mé tógtha leis an leabhar ó chonaic mé a theideal; agus níor chuir an t-ábhar a bhí taobh istigh de na clúdaigh aon díomá orm. Bhí an dírbheathaisnéis bheag fíneálta agus greannmhar – agus rinne ceangal le sean-Déan Átha Troim, Richard Butler, a scríobh an stair, *Trim Castle*, a bhfuil mé chomh ceanúil air. Chuaigh rudaí i bhfeabhas uaidh sin ar aghaidh.

Ceann de na rudaí a mheallann mé, lasmuigh den stíl ghlan chruinn neamhualaithe, na freagraí nó na léargais a chuir sé ar fáil dom maidir le cuid den complexus angla-éireannach a raibh mé ag iarraidh dul i ngleic leis i gcás Stanford agus i gcás Chonradh na Gaeilge. (Tá mé ag éisteacht le Ceathairéad 1 in G mór agus seo á scríobh agam.) Agus i measc rudaí eile tagann an tseoid seo chun cuimhne agam as an aiste – ní féidir liom an áit sa leabhar a bhfuil sé a aimsiú anois ach caithfidh go ndeachaigh mé siar air ionas go bhféadfainn a bhreacadh síos.

Though it seems to me to be a man's duty to work in and for the community which he acknowledges to be his own, we also have a duty to develop our faculties to their fullest extent. Often these two duties cannot be reconciled and we have to choose between spiritual and intellectual frustration.

An bhféadfaí cás Stanford a chur níos cruinne? Táimid buíoch gur roghnaigh sé go gcomhlíonfaí a chumas intleachtach agus go bhfágfaí bac éigin ar a acmhainn spioradálta – spioradálta sa chiall cothú agus cothabháil samhlaíochta agus spioradáltachta inmheánaí; ní i gciall an chreidimh phoiblí.

Bhí gá ag Stanford – agus seo rud a thuig pearsana cuid de na haistí seo go rímhaith, Ottway-Cuffe, Lady Desart, agus Aintín Harriett an údair – le saibhriú na Gaeilge agus na coda síoraí sin den chultúr dúchais. Ach níor tharla sin agus an uair is mó a bhí uisce íonghlan an tobair dúchais sin ag teastáil uaidh chuaigh sé le polaitíocht Charson. Ní raibh aon rogha aige; bí sé imithe rófhada ó thalamh na hÉireann.

Ach taispeánann Butler dom nach bhfuilim seafóideach a bheith buartha faoi na ceisteanna seo; is iad ceisteanna na hÉireann iad. Táimid – mar a thuar sé in aiste neamhfhoilsithe chomh fada siar le 1955 – ag sú chultúr Mheiriceá isteach leis an mbainne cíche, geall leis gan fhios dúinn féin; agus tá na comhlachtaí trasnáisiúnta ag déanamh athmhúnlú, athchruthú, ar ár samhlaíocht ar mhaithe le collaíocht agus breis brabaigh. Is é gabháil na samhlaíochta ag leas trasnáisiúnta na tráchtála é. Tá na ceisteanna seo tábhachtach má tá aon chuid den tseansamhlaíocht luachmhar le teacht slán – samhlaíocht cheoil Stanford san áireamh.

Ó smaoiním air, is é a mhalairt de ród a ghabh Seán Ó Riada. Má ba rogha é idir tír agus tallann, idir cothú an phobail agus forbairt phearsanta an ealaíontóra, roghnaigh Ó Riada an pobal agus an ealaín chomhpháirteach; chuaigh chun cónaithe i gCúil Aodha agus dhírigh a chumas ealaíne ar an gcomhluadar áitiúil ceoil. Ach is é is dócha gur bhreathnaigh sé air sin féin mar chuid d'fhorbairt na healaíne agus an ealaíontóra.

Is cosúil gur shíl an Riadach gurb é nádúr na healaíne Gaelaí an ceol líneach agus go raibh an ceol aonair agus uirlise sa traidisiún Gaelach i gcodarsnacht ghlan le ceol díospóireachta contraphointeach na hEorpa a tháinig chun cinn go háirithe tar éis an Athbheochan Léinn. Cuid den fhorbairt sin – ach ní heol dom go bpléann Ó Riada seo – an bhéim ar an ealaíontóir aonair, an t-ealaíontóir cráite, mar a tháinig sin chun cinn i lárthraidisiún rómánsach na hEorpa.

Bhraith an Riadach, is cosúil, go raibh an ceol agus an ealaín Eorpach struchtúraithe ar bhonn impiriúil – ba í an ailtireacht an bhunsamhail – áit a raibh an ceol agus an ealaín Ghaelach líneach agus ar an gcaoi sin níos dílse do ghnáth-thaithí mhothaíoch an duine. An paradacsa, is cosúil, ná go bhféadfadh an pobal áitiúil ealaín na fírinne pearsanta sin a chothú ar bhealach níos sláintiúla agus níos éifeachtaí ná pobal dí-ainm na gceolchoirmeacha cathrach.

D'fhéadfadh sé go raibh an ceart ag Ó Riada an pobal áitiúil Gaelach a roghnú thar an náisiún mar shochaí thacaíochta don ealaín – tar éis an tsaoil ní hé an oiread sin spéise a chuireann náisiún Béarla na hÉireann *qua* náisiún, sa cheol ealaíne. Ach níl a fhios agam an raibh an ceart aige a cheapadh gur traidisiún "líneach" a chleacht pobal na Gaeilge agus gur ceol ailtireachta impiriúil ba mhó a bhí sa traidisiún "Eorpach".

Braithim gur mó a fhreagraíonn leagan amach an Riadaigh d'idé-eolaíochtaí áirithe a linne ná do bhunghnéithe an cheoil (móid, séiseanna, eatraimh, comhcheol, ornáidíocht, an fhoirm shonáideach, athsheinm). Ar an gcaoi sin b'fhéidir gurbh fhiú saolréim Uí Riada a chur i gcomparáid le hiarrachtaí a chomhchumadóra chomhaoisigh i Sasana, Cornelius Cardew. Ach seachas bonn idé-eolaíochta a bheith leis, an bhféadfadh sé go mbaineann athsheinm an cheoil Ghaelaigh leis an bhfeidhm a bhí aige mar cheol damhsa? go mbaineann athdhéanamh an cheoil le fad a chur leis an damhsa seachas le haon bhaint shamhalta le gnáthshaol an duine aonair? Braithim gur chuir Ó Riada déscaradh ar bun ar mó an bhaint a bhí aige le polaitíocht ná le ceol.

Mar a léiríonn Gearóid Mac an Bhua, ba é an cuspóir a bhí aige "sintéis fhoirfe a thabhairt i bhfeidhm idir ceol dúchasach na hÉireann agus mórcheol na hEorpa agus, fosta, idir seantraidisiún clasaiceach na hEorpa agus stíleanna casta na nua-aimsire". Bhí an t-iar-Éireannach Aontaithe, Tom Moore, agus an tAontachtóir dalba C.V. Stanford, tar éis an dá stíl a thabhairt le chéile ar bhealaí rí-éifeachtacha cheana – dáiríre is beag cumadóir Éireannach de shaghas ar bith nach raibh tar éis sintéis dá chuid féin a thabhairt i gcrích. Ach faoin am a chuaigh an Riadach ag obair, bhí mórthraidisiúin na hEorpa ag lagú.

Is é is dócha gurb é téarnamh an traidisiúin chlasaicigh san Eoraip – mar a deir Harry White, ag aithris ráitis de chuid Louis Marcus dó – "the loss of a unifying aesthetic in Europe itself" – a thiomáin an Riadach i dtreo an cheoil Ghaelaigh agus an léirithe áitiúil. An tsintéis ar éirigh le Stanford a dhéanamh, mar shampla ar bhealach chomh mórtasach sa Triú Siansa, ní raibh sin ar chumas Uí Riada mar ní raibh aon traidisiún Eorpach ann le sintéis a dhéanamh leis.

Os a choinne sin d'fhéadfaí a rá gur éirigh le Stanford an tsintéis a dhéanamh mar gur thug sé tús áite don traidisiún clasaiceach. D'fhéach Ó Riada le tús áite a thabhairt don traidisiún Gaelach – "there are in this small Island two nations: the Irish (or Gaelic) nation and the Pale" – ach chiallaigh sé sin, is cosúil, den chuid is mó, an traidisiún a léiriú seachas cumadóireacht nua a dhéanamh sa traidisiún sin. Is beag nach bhféadfaí a rá gur chuir an déscaradh – an scarúnachas náisiúnach poblachtach – deireadh le cumadóireacht Uí Riada san áit ar chuir sé spreagadh faoi chumadóireacht Éireannach Stanford mar gur chuir sé, mar Aontachtach, ina choinne.

4 Coláiste Ríoga an Cheoil

Sa leabharlann atáim, Leabharlann Donaldson, agus na fuaimeanna ceoil á síothlú isteach i gcónaí trí na fuinneoga arda daite: túba, xileafón, canadh neamhfhonnmhar mná – agus tabhair neamhfhonnmhar air, nó feicim ó fhógraí buí atá curtha suas ar fud na háite go bhfuil na scrúduithe ar siúl.

Thóg sé an mhaidin uile go dtí meán lae leis na barraí a chomhaireamh. Tá mé réidh anois le héisteacht in athuair leis an gceol. Ach tá dearmad déanta agam ar na cluasáin. Ní miste. Tá sé beagnach in am lóin agus féadfaidh mé na cluasáin a phiocadh suas san óstán ar an mbealach ar ais. Níl aon amhras ach go bhfuil áirgiúlacht agus áisiúlacht an óstáin ag cabhrú go mór leis an obair atá ar siúl – é ina ionad aoibhinn oibre agus ina ábhar inspioráide, fiú, dom thabhairt isteach i réimse tuiscintí atá gar go maith, braithim, don saothar atá idir lámha agam: Charles Villiers Stanford agus a chuid siansaí.

Ach sin ráite tá an fear féin, agus seans a chuid ceoil freisin, á ligean i ndearmad. Ní duine de na réalta é, tá an méid sin cinnte. Tá ceolchoirm fógraithe sa Royal Albert Hall, atá díreach trasna an bhóthair ón áit seo, ceolchoirm de cheol Sasanach agus an mana leis, "For Harry, England, and St. George". Go leor de na seanainmneacha i gceist leis: Parry, Elgar, Holst. Ach ní luaitear Stanford. Níl ann ach an ceart ar ndóigh, níor Shasanach é. Ach samhlaím é a bheith míshásta leis an bhfaillí, mar a bhí sé míshásta le hElgar faoi cheist na rapsóidí. Ach bheadh údair eile míshásamh aige dá mbeadh a fhios aige é. Tá cártaí poist ar díol san áit seo: portráidí de chumadóirí cáiliúla agus daoine móra le rá a raibh baint acu leis an gceol – ó Farinelli go Vaughan Williams – agus cóipeanna de lámhscríbhinní atá i seilbh an Choláiste. Ach níl aon phictiúr de Stanford acu ná aon chárta a bhfuil cóip air d'aon rud a scríobh sé.

Ceathrar eile atá i Seomra Donaldson liom faoi láthair. Beirt óg a bhfuil ríomhairí acu ar an taobh eile den seomra, mar atá agam féin, agus ag bord trasna uaim agus a n-aghaidh orm, fear meánaosta go maith agus fear óg ina shuí ar a thaobh dheis, agus iad beirt ag déanamh comparáide, de réir mar is féidir liom a dhéanamh amach, idir lámhscríbhinn cheoil de chuid Sibelius agus an t eagrán foilsithe den phíosa céanna. Sa mhéid is go bhfuil siad ag marcáil an scóir chlóite – ceann an duine acu – braithim go bhfuil siad ag ullmhú i gcomhair ócáid seanma amach anseo.

Bhí an comhrá idir an leabharlannaí agus an fear meánaosta ar ball mós spéisiúil. Níor thug mé mórán liom – ná ní raibh mé ag éisteacht, ar ndóigh, ach cé d'fhéadfadh gan glórtha soiléire i leabharlann a chloisteáil. Phléigh siad daoine difriúla a dhéanann ceangal ar lámhscríbhinní, an costas ard a bhaineann leis, an chaoi a mbíonn an ceangal fós teann, amanta, agus ar an tábhacht a bhaineann le nithe eile mar shampla "Japanese tissue".

Hea! Bhí dul amú orm. Tá an fear aosta tar éis an scór aige a ardú; chonaic mé an t ainm a bhí air: "Symphonies, Antonin Dvorák". Tá sé in am lóin.

I mBaile Átha Cliath i 1952 a rugadh Liam Mac Cóil, údar thrí úrscéal, An Dochtúir Áthas (Doctor Joy, 1995), An Claíomh Solais (The Sword of Light, 1998), agus Fontenoy (2005), chomh maith le hiris scríbhneora, Nótaí ón Lár (Notes from the Centre, 2000), ar fhoilsigh Leabher Breac gach ceann acu. Is é comheagarthóir an bhliantáin Bliainiris é agus stiúrthóir theach foilsitheoireachta Carbad. Tá sé faoi láthair ag obair ar leabhar faoin chumadóir Charles Villiers Stanford. Cónaíonn sé i nGaeltacht Ráth Cairn, Co na Mí.

SA DOMHAN THIAR

—

Louis de Paor

GALWAY KINNELL SA GHAILLIMH

Sheasamar sa scuaine,
mar a bheimis ar shochraid,
a chuid dánta brúite
mar a bheadh leabhar urnaí
le hucht gach duine sa tslua.

Nuair a d'éirigh den gcathaoir,
ní bheadh a fhios agat
an duine de chlann an mhairbh
a bhí ag croitheadh láimhe leat
nó an marbh féin
a bhí ag éirí aníos sa chónra
le comhbhrón a dhéanamh
le cara nár aithin sé a thuilleadh.

Nuair a shínigh na leabhair
le seanpheann dúigh,
ba dhóigh leat go raibh
Naomh Proinsias tagtha
in áit a chomrádaí chrosta
ag geataí na bhFlaitheas,
go mbeadh cead isteach feasta
ag gach éinne ón duine
a mhúin a háilleacht thuathalach
don gcráin mhuice
nó gur bhláthaigh sí ina nádúr féin:

for everything flowers, from within, of self-blessing:
though sometimes it is necessary
to reteach a thing its loveliness.

Ba theangbháil le huaigneas
is le huaisleacht ghortaithe
a shúil do thuirlingt ort.

Tuigim, adúirt an tsúil,
múinteoir maith
sa rang mícheart,
nach gá an t-uaigneas
a mhíniú duitse

though sometimes it is necessary
to reteach a thing its loveliness.

D'iarr sé orainn
gan na leabhair a dhúnadh
nó go dtriomódh a ainm
ar an leathanach.

Nuair a d'fhéachas im thimpeall
bhí leabhair ag croitheadh a sciathán
i bhforhalla na hamharclainne:

faoileáin tar éis cheatha,
nó gearrchailí Gotacha

ag croitheadh chiarsúir a lámh
le go righneodh an dath
ar a n-iníní dubha.

Agus ó, a Ghaillimh, a dhuine,
dá dtriomódh na deora
chomh tapaidh céanna,

dá righneodh an croí leonta.

GALWAY KINNELL IN GALWAY

We stood in the queue,
as if we were at a removal,
clasping his poems
like prayer-books to our chests.

When he stood up from his chair,
it was hard to tell whether
it was one of the dead man's brothers
shaking your hand
or the corpse himself
who had risen from the coffin
to shake the hand of a friend
he no longer recognized.

When he signed our books
with an old fountain pen,
it was if St Francis had taken over
from his cantankerous companion
at the gates of Heaven,
that everyone would be let in
from here on in by the man
who taught the sow its awkward beauty
so that it blossomed in its own nature:

for everything flowers from within, of self-blessing:
though sometimes it is necessary
to reteach a thing its loveliness.

When his eye caught ours,
we recognized the loneliness
and the gentle hurt.

I know, his eyes said, a good teacher
in the wrong class, there's no need
to teach you anything about loneliness

though sometimes it is necessary
to reteach a thing its loveliness.

He warned us not to close the books
until the ink had dried on the page.

When I looked around me, books
were shaking themselves dry
in the foyer of the theatre

like seagulls after a shower
or young Goths shaking
the handkerchiefs of their hands
to harden the varnish
on their blackened nails.

And oh, Galway, my old pal,
if only tears would dry as quick

and the wounded heart harden.

NUAIR A THÁINIG AN GHAOTH AR CUAIRT
i dtigh Mhic Cárthaigh sa Daingean

thabharfainn an leabhar
go raibh an doras amuigh
faoi ghlas

nuair a bhuail sí isteach
gan chead,
gan chnag,

gur tháinig aníos
taobh thiar díom
mar a rabhas i ngleic

liom féin sa chúinne,
(sean-namhaid nach féidir a chloí);
uair amháin eile
sular fhág sí arís go brách mé,
tháinig a lámha cumhra im thimpeall,
a hanáil ghortaithe
ar chúl mo mhuiníl;

dá mba thusa féin, a dheirfiúir,
a thiocfadh de shiúl oíche
cois faobhar na farraige
is thairis an gConair anall,
an bóthar sleamhain
féd chosa leonta,
is flichshneachta an ama
ag doirteadh idir mé agus tú,

ní mó ná san a chrithfinn;

is go dtabharfainn an leabhar
go raibh na doirse go léir faoi ghlas
sa chlabhstra fada
atá ag síneadh go dtí thú
sa chillín is sia amach
i mainistir bhriste na díchuimhne

WHEN THE WIND CAME TO VISIT
in MacCarthy's Bar in An Daingean

I could have sworn
the outside door
was locked

when she came in
without a knock
or by your leave
and came up

behind me
where I sat in the corner
arguing with myself
(an old enemy I've never
gotten the better of)

one more time
before she left me forever,
her fragrant arms came round me,
her hurt breath
on the back of my neck;

even if it was you, sister,
who had walked all night
by the edge of the sea
and over the mountain pass,
the road slippery
under your damaged feet,
and the hailstones of time
pouring between you and me,

I wouldn't have been any more shaken;

and I could have sworn
that all the doors were locked
in the long cloistered corridor
that stretches as far as where you are
in the furthest away cell
in the broken monastery of forgetting

MAIDIN SA DOMHAN THIAR

Ní fhéadfainn a rá leat
cá rabhas go díreach
ach gur minic cheana
a bhíomar ann in éineacht.
Bhí bóthar na spéire cam
is inneall an ghluaisteáin
chomh bodhar leis an eitleán
a shínigh a ainm
ar imeall na cruthaitheachta ar ball.

Bhí mos an aitinn ar éadaí leanaí
amuigh ar líne ar chúl gach tí,
an grá bán ag sileadh anuas dóibh
ar thalamh mín.
Bhí sabhaircín i bhformad
le cosa fada an chromchinn
is máithreacha óga ag brionglóidigh
faoi sholas na toinne
a bhriseadh ina smidiríní airgid tráth
ar chósta fada in iarthar a gcuimhne.

Bhí an ghrian dom leanúint
ar feadh na slí
fé mar gur liomsa a solas le ceart;
níor dheacair a chreidiúint
gurb é Dia a chum saol seo na saol
dúinne agus dár leanaí amháin,
gurb é a mhac
a thug a dhath don bhfiúise
a dhoirt anuas orm
ó dhá thaobh an bhóthair.

Ní fhéadfainn a rá leat cá rabhas
ach gur trua liom
ná rabhais ann im theannta
ó bhí an saol

chomh hálainn leis an lá
is mo chroí chomh hard
leis an eitleán
nár fhág rian na seilide féin
ar spéir ghlan na hÉireann
is é ag triall in aghaidh na gréine,
an aimsir fháistineach
craptha ina bhroinn ata.

ONCE UPON A TIME IN THE WEST OF IRELAND

I couldn't tell you exactly where I was,
but we were often there together before.
The sky road was twisted and the drone
of the car as loud as the airplane
that signed its name
on the edge of creation just now.

The smell of gorse was in children's clothes
hung out to dry behind every house,
bright love dripping from them
on to the gentle ground.
A primrose envied
the long legs of the daffodil
as young mothers dreamed
of the light of the sea
that broke in silver shards
once upon a time
on a long coastline
at the back of their minds.

The sun was following me all the way
as if its light were mine by rights;
it wasn't difficult to believe
that it was God who had made
this best of all possible worlds

for us alone and for our children,
that it was his son
who gave the fuchsia its colour
as it bled down on me
from both sides of the road.

I couldn't tell you where I was
but I wish you had been there with me
when the world was as lovely
as the day was long
and my heart as high as the airplane
that left not so much as a snail's trail
across the clear skies of Ireland
as it made its way against the sun,
the future tense in its cramped womb.

Louis de Paor is one of the foremost poets and scholars in the Irish language. He was born in Cork in 1961 and educated at Coláiste an Spioraid Naoimh and University College Cork. In the early 1980s, he edited the Irish-langauge journal Innti, *and between 1987 and 1996 he lectured at the University of Sydney in Australia. His scholarly books include a study of narrative technique in the short fiction of Máirtín Ó Cadhain and an anthology of twentieth-century poetry in Irish co-edited with Seán Ó Tuama. He is currently working on a study of the writings of Flann O'Brien, and is Director of the Centre for Irish Studies at NUI Galway. He is the author of nine collections of poems, most recently* Ag Greadadh Bas sa Reilig *(Clapping in the Cemetery, Cló Iar-Chonnachta, 2006),* Cúpla Siamach an Ama *(The Siamese Twins of Time, Coiscéim, 2006) and* agus rud eile/and another thing *(Coiscéim, 2010).*

THE SONG OF GRANITE

Tim Robinson

The old way, ever new.

One of the glories of An Aird Thoir a century ago was the voice of Seán Choilm Mac Dhonnchadha, Seán (son of Colm) MacDonagh. On coming home in the evening from work in the fields or the bog or on the waves in his currach, he would rest himself against a great boulder outside his cottage, open his mouth and sing. The air would surrender itself (so my second-hand memories of that era persuade me) to the passionate invocations of "Eileanór na Rún" and "Róisín Dubh", or sigh over the local lament for the drowned of "Currachaí na Trá Báine", the currachs of the white beach. All over the village people would listen. In the early nineteenth century travellers in Ireland used to remark on the habitual singing of the peasantry at work, and after the Famine the silence that had fallen on the countryside was heard as deeply sinister and mournful. By the 1900s evidently Connemara was in voice again.

Colm Mac Donnchadha's was the chief house for music in An Aird Thoir, and nearby were two other musical houses, that of Joe Pheaitsín 'ac Dhonncha, one of whose ancestors is remembered for having won a gallon of whisky for singing a song in Cinn Mhára long ago, and that of Seán Jeaic Mac Donncha, a master singer whose sons keep the tradition alive, their familiar names – Josie Sheáin Jeaic, Johnny Sheáin Jeaic – proud roll-calls of their musical forebears. Among the women singers of the locality Máire Bean Uí Cheannabháin (Mary wife of O'Canavan), known from the trade of her grandfather as Máire an Ghabha, Mary of the blacksmith, was treasured for her store of old prayers and religious songs, among them the heartbreaking "Caoineadh na dTrí Muire", the lament of the three Marys, to which I will return.

Into this nest of songsters was born, in 1919, a Seosamh Ó hÉanaigh, better known locally as Joe Éinniú or Joe Heaney, who was to become the most famous of them all. *Nár fhága mé bás choíche*, may I never die, is the subtitle of Liam Mac Con Iomaire's detailed biography of Ó hÉanaigh (from which the above sketch of the village and its music is derived); the phrase is from *Amhrán Rinn Mhaoile*, the song of Renvyle, which Joe often sang. So many of his friends' and admirers' accounts of Ó hÉanaigh quoted in that book liken his voice, appearance and presence to the granite of his harsh native place that the simile has become part of him, making him the time-resistant icon of the *sean-nós*, the old way, as the traditional style of singing has come to be called in relatively recent days. There was also, behind this intimidatingly rough-hewn sculptural persona, a melancholic and vulnerable sensibility. He could be touchy, arrogant, loud-mouthed and aggressive in drink, and yet he inspired great love and loyalty.

Joe was the fifth child of Pádraig Ó hÉanaigh and his wife Béib Ní Mhaoilchiaráin, and two more children were to follow him into the family. Their house was one of the slate-roofed single-storey dwellings built by the Congested Districts Board in the early years of the twentieth century. Musical instruments were few in Connemara then; An Aird Thoir had nothing but a melodeon, and, as Joe later reminisced,

> People made their own music by singing and lilting and story-telling, and that's how we used to spend the evenings, around the turf fire with our mouths open listening to somebody telling stories or singing. And in our house, my father was always singing.

After attending the national school a few doors away from his home, Joe went off to study at Coláiste Éinde, a preparatory training college for teachers, which at that period was temporarily located in Dublin, but he was soon sent home, perhaps for smoking or some conflict with authority that might explain his lasting anticlericalism. He found on his arrival that his father had died:

> Well, my father was a very good singer. In fact, he had more songs than I'll ever hope to have. He died when I was thirteen [*recté* seventeen], so I had no hope of getting the songs because I thought I'd have plenty time to get them off him. But they went to the grave with him. I heard him sing songs that I never heard since and I haven't got myself.

Deprived of an education by this petty injustice, he had to do what Connemara lads did, go to work for a farmer in the fertile plains of east Galway. Then, like so many of his generation, he left the country for a life of labouring and odd jobbing. In Glasgow he lodged with a family from Carna, married Mary, the daughter of the house, fathered four children, walked out on them – he rarely mentioned this abandoned family thereafter – and moved to Southampton and London, where he got a clerical job with a building firm, and was welcomed in the pubs of Kilburn for his splendid voice. He was by this time becoming known as an outstanding *sean-nós* singer and as a story-teller; he won the first prize at the Oireachtas, the Gaelic League's annual cultural festival, in Dublin in 1942, and was recorded by the great music-collector Séamus Ennis, who knew the Carna music scene household by household. After he was awarded a gold medal at the Oireachtas of 1955 records of his singing began to appear from Gael-Linn. His admiring friends included Roibeárd Mac Góran the head of Gael-Linn, the American folk-musicologist Alan Lomax, Ronnie Drew of the Dubliners and Peggy Jordan, hostess and concert-promoter; his relationship with Séamus Ennis was close, and rivalrous. In the early '60s he often performed at the Singers' Club in Kilburn, run by the demiurges of the "ballad boom" of those years, Peggy Seeger and Ewan MacColl. But all this attention brought him more acclaim than money; he was often short of cash, and his hectic nocturnal life was fuelled by cigarette smoke and whiskey fumes.

In a long interview conducted by MacColl and Seeger in 1964 these cognoscenti of the world's folk music pressed him hard for the inside story of his style, especially the role of decoration.

> *EM:* You decorate in some songs more than in others, I've noticed … What tells you which songs to decorate and which to leave alone?
>
> *JH:* Well I think it all depends on the scope left for me in the lines of the song … What I'm trying to say, if the words of the line don't allow me to decorate, I've got to sing the line. Because I couldn't break up the sentence too much. But if it's a short line with not many words, that allows me to decorate a lot of the words. That's the way I feel it anyway.
>
> …
>
> *PS:* Now, when you're going to mix – when you're approaching a line, and you know that at certain points you're going to decorate, do you ever see the shape of the decoration in your mind?
>
> *JH:* I do. I see exactly what I am going to do with it before I reach it. I know exactly what I'm going to do and each time I try to do it better. Hm. I do.

PS: You never make a mistake when you're decorating? I do.

JH: Well, not in my own mind I don't. Maybe other people sees it, but I don't because I think it's something that you can't make a mistake at, because everybody decorates different ... I could sing a song for you now ten times tonight and each time'd be different. But I'll either do it better, or you're – but I'll know exactly what I'm going to do before I reach it.

EM: Do you ever do the first verse very simply with very few decorations and thereafter on the verses which follow, make ...?

JH: Yes. I try to introduce the song first as clean as I can ... especially with somebody who doesn't know the song.

On the mysterious quality known (sometimes derogatorily) as *nyaah*, the almost subliminal nasal drone that lurks in the background of the *sean-nós* singer's delivery, he was less forthcoming; in fact the theorists seem to be pressing him for something more specific than he is happy to provide:

EM: Now, what do you call this? Do you have any word for this?

JH: No I haven't a clue. That's one thing I can't explain. It's there and that's the way it is. I don't put it in, it's just there.

EM: Have you ever thought about it, why it's there?

JH: I have often thought about it and this is one explanation I got for it from an old man. Before they start singing, they start to go "hm, hm" in the head first, themselves, you know, humming to themselves more or less through the nose first, and that could be the reason they carry it on. Because even now before I sing a song I sing it in my head first, you know, I do, to see will I get the right pitch or ...

EM: In short, the drone is so much part of you, so much part of your whole personal style and of your regional style, that every song must be part and parcel of that.

JH: That's right.

EM: Now, do you know how you produce this drone. Have you ever thought about that?

JH: I haven't a clue. If you took the head off me now, I couldn't tell you.

In 1965 Joe was a big hit at festivals of folk song in Newport and Philadelphia, and in the following year he emigrated to the States. For the next fourteen years he worked as doorman to an apartment block in Manhattan. Later his disciples arranged a part-time post for him teaching folklore in Wesleyan College, Middletown, Connecticut. During this period of his life he used to revisit Ireland annually and give a concert performance organized by Gael Linn.

The most eccentric point in the astonishing orbit of this man from An Aird Thoir was his contribution to *Roaratorio*, a composition by the magus of experimental music, John Cage. Could anything be further in origin and spirit from the world of Connemaran *sean-nós*? *Roaratorio* was commissioned by West German Radio and Pierre Boulez's avant-garde foundation *IRCAM* (Institut de Recherche et Coordination Acoustique/Musique) in Paris, and is based on James Joyce's cryptological novel, *Finnegans Wake*. Cage was looking for Irish traditional music as an ingredient of his own musical recreation of Joyce's work, and when he was told that Joe Heaney was "the king of Irish music", he pursued him to Norwich in England, where Joe was on tour, and swept him off to *IRCAM*'s prestigious base, the Centre Georges Pompidou in Paris. The first performance of the stupendous outcome of this unlikely collaboration was in Paris in 1980 and the second in Toronto in the following year. The bulk of the work consists of a collage of taped tracks, an aural 62-decker sandwich of the sounds referred to in Joyce's novel – thunderclaps, earthquakes, laughing and crying, shouts, farts, bells, clocks, chimes, gunshots, wails, a cock's crow, a motorbike's roar, falling water, shreds of music, breaking glass, as well as ambient sounds captured in a world-wide selection (made according to elaborate instructions based on chance) from most of the 2462 places Joyce mentions. Almost drowned by this cacophony, this multidimensional *nyaah*, is Cage's reading – or rather intoning, chanting, hissing, shouting, muttering and whispering – of his own text, *Writing for the Second Time Through Finnegans Wake*, which consists of hundreds of "mesostics", sentences from the Wake, again selected by a complicated method of perfectly logical illogicality and arranged so that certain letters appearing one below the other spell out JAMES JOYCE again and again. On top of all this floats a medley of Irish music – Paddy Glacken on the fiddle playing a reel, Liam O'Flynn piping a lament, the flautist Séamas Tansie whistling away, Peadar Mercier and his son Mel thumping their bodhráns, and Joe Heaney, starring as the Mr Earwicker or Here Comes Everybody of this epic concoction, singing his own choice of songs – a riptide of conflicting currents in which Joe's voice often stands out craggily like one of the rocks he knew so well in Cuan na hAirde, Ard Bay.

According to Paddy Glacken, "Joe took it wonderfully seriously. He looked as if he understood what was going on. The thing that most surprised me was that he understood John Cage in a way we didn't." And what does it all mean? Well, John Cage in an interview accompanying the record of "Roaratorio" says that it is to be experienced rather than understood; nevertheless one strives to salvage sense from it, if only to throw one's interpretations back into the meltingpot. To me it is the sound of the past, as I evoked it in the preface to my first volume – but a past in collision with some apocalyptically randomized future, and the whole stabilized momentarily, now and again, by a baby's cry, the sound of the present. Ultimately its meaning is that all meanings, like all songs, are mere straws in the wind of the radical incomprehensibility of the world.

In 1982 Joe attained a high point of recognition in America when he won a National Heritage Award for Excellence in Folk Arts. At the same time he took up a two-year post as visiting artist in the Ethnomusicology Department of Washington University, Seattle. Perhaps for the first time he felt that his dedication and talent were being recognized. According to Peggy Seeger, who visited him there,

> I think in Ireland they don't like you to rise too far above them, whereas Joe was idolised in Seattle. He was the only person singing those songs and who could talk about them and could translate them, and who could charm you on stage while he was doing it. I think he learned how to stand up straighter; he dressed better, he walked better, and he did give up the drinking. Because he did drink a *humendous* amount. I know that the couple of times that I saw him in the States before that, he was always with beautiful young women, and I think he made a point of turning up with them. Joe was very happy with his work in Seattle. It was as if he was at last getting the attention he deserved as a singer and as a repository of so much knowledge of his area of Ireland.

Two young women in particular among his students in Seattle were to play a large part in his latter years, Sean Williams and Jill Linzee. Both completed MAs on his singing, and when it was realized that Joe's two-year appointment was coming to an end, leaving him with no income to speak of, no medical coverage and nowhere to go, they joined with a few others in raising funds and arranging transport for him to visit schools and libraries around Seattle. At the same time the university founded the Joe Heaney Collection of recordings, transcriptions and documentation, which soon held some 250 songs and a hundred stories, and continues to grow to this day. But early in 1984 Joe fell ill – and, sadly and mistakenly, Sean Williams blamed herself:

> I had the flu and I was drinking tea with him … And he reached across the table and took my teacup. And I said: "Don't take that teacup, you're going to get the flu." He put it to his lips and he said: "Then everybody will know that you killed me", and he took a sip, got the flu, and died! And I nearly died too, knowing what had happened.

In fact he was able to come out of hospital and to teach on several occasions during the following two months; it was the years of heavy smoking, leading to emphysema, that shortened his breath and ultimately his life. Sean and Jill and others of his young disciples nursed him to the end. At his memorial service Sean sang "Caoineadh na dTrí Muire", the exquisite and sorrowful "Lament of the Three Marys" she had learned from Joe. There was an odd incident at the wake house afterwards, where Joe's body was waiting to be flown home to Ireland. Cáit Callen, one of those who had nursed him, went out and bought an Irish flag and laid it over his coffin, as befitting a hero of the Irish people. But the wife of the funeral director told her she could not do that, whereupon a gentleman in the background very quietly said, "She can do whatever she wants." And as this obscure figure was understood to be from the IRA, the flag was left on the coffin.

When the corpse arrived at Shannon (Aer Lingus having been persuaded to fly it home for free) Cáit arranged the flag on the coffin again. A cortège of Joe's friends and admirers followed the hearse to Galway, where it was met by the Mayor and the Bishop, and there was a short ceremony in the cathedral before the procession went on to Carna. An extraordinary representation of the folk musical world attended the funeral mass and heard the celebrant, the assistant curate, amply demonstrating religion's propensity to miss the point of life. First he forbade the relatives to have the coffin open in the traditional way, but they went ahead and opened it anyway; a photograph shows the aged Máire an Ghabha in her shawl bending tenderly over Heaney's massively sculptured features, in an image of biblical simplicity and grandeur. Then the curate objected to having the mass "highjacked" by the singing of folk songs, but despite him the great lament "Amhrán Mhaínse" and other songs that Joe had brought out of Connemara into the wide world were sung, together with "Caoineadh na dTrí Muire", to which Máire an Ghabha murmured the sacred words. Finally in his sermon (the whole ceremony being broadcast live on Raidió na Gaeltachta), after having noted the deceased's fame, the curate said (in Irish):

> But if we imagine that it's singing or anything of the sort that makes a person important, I think we are mistaken. Undoubtedly, it was amazing the way he was able to sing, and how much he gave people through his singing and things like that. But all the same a person's importance doesn't come from things like that. In the first place he was an important person because of the amount of love God had for him …

Fortunately just then the Almighty was too taken up with listening to His new guest's songs to hear these references to "singing and things like that".

If Joe sometimes felt that he was not sufficiently appreciated in his native place, it was made up to him after his death. The removal procession stretched all the way from Carna three miles west to the ancient seaside churchyard of Maoras, where there was great singing, piping and fiddle-playing by his grave, an impromptu session that continued deep into the night in the pubs of the village. Two local singers, Micheál Ó Cuaig and Peadar Ó Ceannabháin, were inspired to found an annual festival in his memory, Féile Chomórtha Joe Éinniú, which still flourishes. In 2009, on the twentieth anniversary of Joe's death, the proceedings included a visit to his grave. A recent recruit to the host of Joe's fans, I persuaded a Roundstone friend to drive me there. The approach to the churchyard with its ruined medieval chapel is magnificent: a straight and narrow boreen runs downhill to a crescent beach between grey stone walls and green pastures; the gables of the roofless chapel with its consort of gravestones scattered across a hillocky acre or so of grassed-over sand dunes appear on the left, and the dragon-backed hill of Errisbeg lies straight ahead across a few miles of sea. It was mid May and midday, with posies of primroses in the grass, the tide far out and the sands wide and smooth, the Twelve Pins a dado of mist-blue along the northern horizon, a clutch of rounded, bare, granitic islands to the south, a vast unsettled argument between cloud and clarity overhead. We were the only people there at first, but by the time we had identified Joe's grave a minibus and a few cars had followed us down the boreen, and soon about fifty people were assembled in a wide semicircle before the tombstone. The ceremony was all and only what it should have been. Josie Sheáin Jeaic led a muttering of Hail Marys in Irish, while a little child kicked up the white quartz gravel on the grave; a bright-faced young woman from Donegal, Máire Ní Choilm, sang a lively drinking-song, "An Crúiscín Lán", the flowing bowl; Tim Dennehy from Kerry sang "Amhrán na Páise", a beautiful meditation on the Passion, the words of which are graven on Joe's tombstone, and which moved a few to tears. Sean Williams, to whom I'd just been introduced, had to step back out of the crowd to sob a little, and I put my arm around her for a moment. Then, after this entirely apposite balance of the spiritual and the spirituous, we broke formation and ranged among the graves and in and out of the old church ruin, greeting friends and chatting. The splendid ranks of clouds had stood back in a semicircle too and the sun, very high in the south, blazed whitely on us like the atomic furnace it is, while high in the north the sky was as blue as the Virgin Mother's cloak. Most Connemara skies are steeped in a decoction of tones wrung out of rainbows, but this blue had been filtered through infinities of depth to perfect purity; in fact I don't believe I'd ever seen blue of such intensity. Colour is a modality we don't need – old films and photographs show that we can get along with greys – and perhaps don't deserve, I thought. It is a gift, an ornamentation; it is the song of matter, delivered in the "old way", ever new.

This is a chapter from Connemara: A Little Gaelic Kingdom, *to be published by Penguin Ireland in 2011 as the concluding volume of a trilogy on Connemara. Most of the factual material on Joe Heaney's life is from Liam Mac Con Iomaire's* Seosamh Ó hÉanaí: Nár fhága mé bás choíche *(Cló Iar-Chonnachta, 2007).*

Tim Robinson worked as a visual artist in Vienna and London before moving to the Aran Islands where he lived from 1972 to 1984. He now lives in Roundstone, Co Galway. One of Ireland's leading prose writers, he has published six volumes of non-fiction, including the two-volume Stones of Aran *(Lilliput Press, 1987, 1995),* Setting Foot on the Shores of Connemara *(Lilliput Press, 1996) and* My Time in Space *(Lilliput Press, 2001), as well as maps of Connemara, the Aran Islands and the Burren. He is also the author of a work of accumulated fictions,* Tales and Imaginings *(Lilliput Press, 2002). His most recent volumes of non-fiction are* Connemara: Listening to the Wind *(Penguin Ireland, 2006), and* Connemara: The Last Pool of Darkness *(Penguin Ireland, 2008).*

ÓN FHEAR SA GHEALACH

Philip Cummings

(viii) Geantraí na gealaí

Mise an tseoid shíoraí i ndorchacht d'oíche;
ní néalta a mhúchfaidh mo sholas, ná m'fhírinne.

Trá is taoide, taoide is trá, mise a rialaíonn iad,
go míosúil, dar leatsa; go buan, dar liom.

Solas na gealaí ag lonrú ar chladaí
airgead domheasta i gcaitheamh na gcian

leanaí is leannáin a thuigeann a luachsa
taisce dochaite is tógáil do chian

iarrtar a mhúchadh le bréagshoilse sráide,
le siopaí nach ndruideann, le gile nach léiríonn

bhí mé ann sula raibh siad, beidh mé ann ina ndiaidh
nuair a mhúchfar a solas beidh mé geal mar a bhí

lonróidh mé fós ar ardbhealach oileáin
ag cealú an dorchadais don té a chíonn

beidh tú dall mar a bhí tú i mbroinn do mháthar
is ní bhainfidh mé clúmh de shúile nach bhfaca

cos ar bholg, ar chíoch, ar phit, ar bhroinn,
géarleanúint na mban thar chaitheamh na mblianta,

cogar mé seo leat, a fhéileacáin oíche,
nár chuala tú riamh gíog is lú dár bpianta?

(x) An Daoradh

Is mise gach bean, tá gach bean ionam,
líonaim lena bpian, mar fhochupán san fhearthainn,
a ndearna tú dóibhsean, domsa a rinne
is ní dhéanfaidh muid dearmad go brách.

I ndúnmharú bhanfhilí na hAfganastáine, daoraimid thú;
i ndíbhrilliú ainnireacha na hAfraice, daoraimid thú;
i gcoscheangal cailíní Síneacha, daoraimid thú.

> *Cúisímid thú, cáinimid thú, daoraimid thú.*
> *Tugaimid fuath duit.*
> *Gabhaimid gráin leat as ucht do mhórfhuath orainn.*

As éigniú thar éigniú thar éigniú, cúisímid thú;
as mí-úsáid ár bpáistí, cúisímid thú;
as gach dorn a tógadh, cúisímid thú.

Cáinimid thú as do bhod a chur i mbun smaointeoireachta;
cáinimid thú as do bhéal a chur i mbun éisteachta;
cáinimid thú as gach féacháint dhrúisiúil trí fhuinneog do chairr.

> *Cúisímid thú, cáinimid thú, daoraimid thú.*

Ar son na mban a tréigeadh, daoraimid thú;
ar son na mban nár tréigeadh, cáinimid thú;
ar son gach iníon athar a bhuail lena nathair, cúisímid thú.

I neamart, i neamhshuim, i neamhthuiscint, daoraimid thú;
as bláthannna nár ceannaíodh, cáinimid thú;
as *Page 3*, as *Baywatch*, as *pole-dancing* cúisímid thú.

> *Cúisímid thú, cáinimid thú, daoraimid thú.*
> *Tugaimid fuath duit.*
> *Gabhaimid gráin leat as ucht do mhórfhuath orainn.*

Nóta ón údar: *Dhá mír atá anseo as dán fada ina ndéantar pearsa den ghealach. Tá an ghealach, ina hionadaí thar ceann na mban, ag labhairt le gnáthfhear sna sleachta.*

I mBéal Feirste a rugadh Philip Cummings i 1964, agus fuair sé a oideachas ag Ollscoil na Banríona, Béal Feirste agus ag Ollscoil Uladh. Tá imleabhar filíochta, Néalta *(Coiscéim, 2005) foilsithe aige agus rogha dá cholúin ón nuachtán* Lá Nua, Dar Liom *(Coiscéim, 2008). Tá sé ag obair faoi láthair mar aistritheoir agus cónaí air in aice leis an Mhuine Glas, Co Aontroma.*

FUINNEAMH ÚRNUA AGUS SLÁNÚ NA LITRÍOCHTA GAEILGE

Caitríona Ní Chléirchín

Living offshore on land.

Ba é an file Michael Davitt an chéad duine le dúshlán a thabhairt don ghlúin óg in INNTI 15 (Nollaig 1996), an INNTI deireanach le teacht amach:

> Is é mo dhóchas … go dtiocfaidh glúin óg chun cinn ar cás leo saibhreas agus ceart na teanga seo … glúin nua filí ina measc a thabharfaidh ár ndúshlán-na, seanfhondúirí na seanfhocal is na gramadaí! Leis seo tugaimse bhur ndúshlánsa, á ábhar filí.

Tá an ghlúin nua filí sin ar an saol anois: Aifric Mac Aodha, Ailbhe Ní Ghearbhaigh, Simon Ó Faoláin, (mé féin, Caitríona Ní Chléirchín), Ceaití Ní Bheildiúin, Muiris Ó Meara, Deirdre Ní Chonghaile, Scott de Buitléir agus daoine eile. Mar a deir mo chomhfhile Aifric Mac Aodha liom, tá faoi mar a bheadh lúb ar lár idir ghlúin INNTI agus fiú an dara glúin INNTI agus an dream óg atá ann anois.

Bhí fuinneamh úrnua le brath san aer ag seoladh *Gabháil Syrinx*, an chéad chnuasach ag an sárfhile Aifric Mac Aodha ar an 3 Meitheamh (2010) san eaglais Uinitéireach, ar Fhaiche Stiabhna, i mBaile Átha Cliath. Bhí a fhios ag a raibh i láthair gur ócáid stairiúil a bhí ann, go gcuimhneofaí ar an ócaid shollúnta seo sna blianta le teacht. Thug an tOllamh Máire Ní Annracháin an-léargas ar an saibhreas dochreidte taobh thiar den leabhar seo, idir shaíocht an traidisiúin, shárcheardaíocht, úrnuaíocht agus pian dhoráite. Thug sí suntas don dóigh inár shéan an leabhar aon ghleoiteacht ach seachas sin go ndeachaigh sé i ngleic le géire an tsaoil. Is fiú i measc na péine, go raibh slánú le fáil.

> Chuireas gaiste síos don fhrancach,
> Ach níor cheapas ann ach smólach.

Spéirfhile í Aifric Mac Aodha, agus ar nós an smólaigh sin sa ghaiste, canann sí i línte filíochta áta fite go dlúth, faoi iontas is uafás na beatha, is an bháis, sa spás sin idir bheatha agus bhás.

Tá idir íogaire agus chrógacht ag roinnt leis an gcéad chnuasach
dánta seo ó fhile ar beag an fonn atá uirthi trioblóidí an tsaoil
chomhaimseartha a shéanadh ná a sheachaint, ach atá lántsásta ag an
am céanna brabach a bhaint as an gcíoradh atá déanta in imeacht na
n-aoiseanna ar ghnéithe áirithe de chruachás cianársa an duine

a deir an Dr Caoimhín Mac Giolla Léith linn sa réamhrá.

Tá stíl shnasta, chlasaiceach ag Mac Aodha ina bhfaigheann muid
macallaí ó Mháire Mhac an tSaoi agus ó Sheán Ó Ríordáin. Baineann íogaire
leis na dánta aici ina bhfaigheann muid meascán den bhuaireamh agus den
dóchas, den scáil agus den solas. Sa dán "Focal Cosanta" cuirtear síos ar an
traidisiún a bhí ann blaoscanna capaill a chur faoin urlár damhsa tráth le cur
le cumhacht an cheoil. D'fhéadfaí gur léiriú iad na blaoscanna seo ar an
bhagairt a luíonn sna scáileanna ar an ghrá ar uaire:

> Leagtaí blaoscanna each
> faoi chúinní halla an damhsa tráth,
> go mbainfí macalla as boinn na mbróg

Áilleacht osnádúrtha an ghrá a sháraíonn an bás a fhaigheann muid in "X-
anna agus O-anna", agus i ndánta eile dá cuid.

(II) *Réalta*
D'inis a hathair di gur thit na réalta
Ón spéir anuas isteach sa phróca
A chóirigh sé ar licín a fuinneoige.
Inniu féin, ní bhainfeadh sí an barr de
    Ar eagla go n-éalódh sí orthu.

(III) *Buaine*
Mar shnáithín uainolla,
É i bhfostu i ndriseog:
Sin mar a mhairfidh a ghrá di.

Áilleacht bhristechroíoch a bhaineann le sárshaothar ó pheann Aifric Mhic
Aodha. Is furasta a aithint gur scoláire le Sean-Ghaeilge í agus gur
fíorealaíontóir í, atá réidh le "conablach an chait" a ithe más gá sin.

Is léir go mbíonn cailliúint ollmhór taobh thiar de chnuasach filíochta ar bith, ar bhealach, cibé acu bás athar, máthar, deireadh caidrimh nó fiú deireadh brionglóide. Is cinnte go ndéantar ceiliúradh ar aoibhneas na beatha agus feicfidh muid sin i saothar Ailbhe Ní Ghearbhaigh go háirithe. Tá áit ag an héadónachas san fhilíocht fosta: héadónachas, buairt ollmhór agus an eacstais sin a mbíonn an Dr Pádraig de Paor ag trácht air: is é sin ná go sáraítear an duine féin ag eacstais na beatha ar uaire: eacstais na collaíochta nó an bháis. Is fada an turas a bhíonn le déanamh ag file óg agus is dócha go nglacann sé thart ar dheich mbliana nó níos mó chun an chéad chnuasach a chur amach, ar bhealach.

Scríobh mé faoi thodhchaí na litríochta cheana in alt do *Chomhar* (Meitheamh 2010), ach fiú ó shin tá borradh agus bláthú tagtha ar thodhchaí na litríochta Gaeilge le seoladh leabhair Aifric. Luaigh mé gur shíl mé gur féidir linn a bheith dóchasach faoi thodhchaí na litríochta agus na scríbhneoireachta Gaeilge in ainneoin an lagtrá eacnamaíochta, in ainneoin chúinsí na haeráide ina maireann muid inniu agus in ainneoin an scrios a dhéantar ar an teanga féin gach uile lá.

Gníomh dóchais atá san ealaín. Gníomh teiripe agus gníomh suilt é ar uaire fosta. Is é an t-ealaíontóir an duine a chuireann a d(h)óchas sa todhchaí nuair a chruthaíonn sé dán, dráma, pictiúr, úrscéal, is cuma. Creideann sé/sí go mbeidh an ealaín sin ann i ndiaidh a b(h)áis agus nuair a smaoiníonn muid faoi: is dócha craiceáilte é an dóchas seo san ealaín, sa teanga agus sa litríocht. Dóchas craiceáilte ach riachtanach san am céanna. Molann Gabriel Rosenstock an dóchas seo a bheith againn san aiste aige "The Future of Literature, Literature of the Future".

Cuirimis ár ndóchas ag snámh i mbáidíní teanga … faoi mar a rinne an mórfhile Nuala Ní Dhomhnaill.

Díreoidh mé anseo ar chúrsaí filíochta mar is é sin an réimse is mó a bhfuil spéis agus saineolas agam ann. Is cinnte go bhfuil scríbhneoirí próis agus iriseoirí úra den scoth againn faoi láthair fosta áfach: an gearrscéalaí an-chumasach Majella Mc Donnell , Ríona Nic Congáil a scríobhann litríocht do pháistí, Muiris Ó Meara ar scríbhneoir eisceachtúil agus fórsa cruthaitheach ollmhór é, Ruth Nic Giolla Iasachta ag scríobh litríocht taistil agus scripteanna scannán ar an taobh eile den domhan sa Nua-Shéalainn, Máirtín Coilféir, Liam Mac Amhlaigh a scríobhann ailt, leabhair taighde, litríocht do dhaoine fásta cosúil le *Teach na gColúr* agus Rachel Ní Fhionnáin a chleachtann an phrós-iriseoireacht, Eithne Ní Ghallachóir, Sorcha de Brún agus go leor eile. D'fhéadfaí a mhaíomh go bhfuil na teorainneacha idir an prós agus an fhilíocht agus an iriseoireacht á ndoiléiriú agus nach féidir linn an deighilt sin idir na seánraí a dhéanamh a thuilleadh agus gur rud maith é sin.

Sílim go gcaithfidh muidne na scríbhneoirí úra a bheith buíoch de na scríbhneoirí a tháinig romhainn ó aimsir na hAthbheochana agus i bhfad roimhe sin. Streachail na daoine seo le cúinsí neamhfhabhracha, le bochtanas, le buaireamh agus le neamhchinnteacht. Nuair a chum Art Mac Cumhaigh "Úir-Chill an Chreagáin" bhí a dhomhan féin ag titim as a chéile, é beo bocht gan todhchaí dhóchasach roimhe féin ná roimh an tír féin. Is minic go dtagann an ealaín is fearr as an neamhchinnteacht sa todhchaí, as cúinsí neamhfhabhracha agus as crá croí.

Sa lá atá inniu ann, gabhann muid scríbhneoirí úra agus óga na Gaeilge ár mbuíochas mór leis an Dr Ríona Nic Congáil, a chuir an cumann le chéile sa chéad áit i mí Iúil 2007, as an dua ollmhór atá caite aici leis an suíomh, leis na bloganna, leis na léamha a eagraíonn sí agus an eagarthóireacht fosta. Ceannródaí í Ríona Nic Congáil, a thaistil go Barcelona sa bhliain 2007 agus a fuair an smaoineamh ar an chumann s'againne a bhunú ó scríbhneoirí óga na Catalóinise. Tá éacht déanta aici ó shin leis an chumann agus le *Comhar*.

Léirigh sí a cumas eagarthóireachta san eagrán speisialta de *Chomhar* a tháinig amach i nDeireadh Fómhair 2009 leis na scríbhneoirí úra agus atá ar cheann de na heagráin is fearr le fada. Is mór an t-ábhar misnigh do scríbhneoirí óga deis a fháil a saothar a chur i gcló, agus a léamh amach go poiblí. Is éard a rinne Ríona ná gur chruthaigh sí gréasán tacaíochta agus teagmhála idir na scríbhneoirí úra ar fad, ionas nach gá dóibh i gcónaí fanacht sa seomra beag dorcha leo féin.

Dár ndóigh is scríbhneoir flúirseach cumasach í Ríona féin, a bhfuil duaiseanna buaite aici as an sárphrós a scríobhann sí. Bhuaigh *An Túr Solais* duais an Oireachtais sa bhliain 2004. Tá *An Leabhar Órga* agus tá *Smaointe ár Árainn* tagtha amach le déanaí aici fosta. Tá todhchaí na litríochta Gaeilge ag brath ar dhaoine cosúil le Ríona Nic Conghail. Tá gá againn ní amháin le scríbhneoirí próis, filí, drámadóirí ach tá gá fosta le heagarthóirí, foilsitheoirí agus léirmheastóirí.

Caithfidh muid na scríbhneoirí óga a bheith an-bhuíoch as an tacaíocht agus an chabhair ó fhilí INNTI: Gabriel Rosenstock, Liam Ó Muirthile agus Nuala Ní Dhomhnaill agus filí eile cosúil le Biddy Jenkinson agus Cathal Ó Searcaigh. Dár ndóigh is filí INNTI ar fad atá sa ghlúin sin filí ar bhealach, sa chiall is leithne.

Baineann an-tábhacht le scéimeanna cosúil le scéim na n-oidí a reáchtálann Foras na Gaeilge chun scríbhneoirí úra a chur i dteagmháil le hoidí. Caitheann na filí seo an-dua le ceardlanna filíochta ar fud na tíre. Is cuimhin liom freastal ar cheardlann le Nuala Ní Dhomhnaill agus le Cathal Ó Searcaigh Mí na Nollag 2007 agus bhí siad iontach flaithiúil linn ar fad. Oide den scoth é Gabriel

Rosenstock chomh maith, a rinne eagarthóireacht ar an chnuasach agam féin *Crithloinnir*, a bheas ag teacht amach go luath. Tugann Micheál Ó Ruairc, Pádraig Mac Fhearghusa agus Pádraig Ó Snodaigh ceardlanna rialta fosta.

Is dream dóchasach agus dúshlánach na scríbhneoirí úra cé go ndúirt Máirín Nic Eoin linn ag seoladh *Blaiseadh Pinn*, go mbaineann dáiríreacht linn. B'fhéidir go bhfuil baint ag an dáiríreacht seo le himeallú na litríochta agus le himeallú na filíochta trí chéile; "Poetry itself has become marginalized", a deir Liam Ó Muirthile linn san aiste "Offshore on Land – Poetry in Irish Now" in *A New View of the Irish Language*:

> If being a poet in Irish feels like living offshore on land, that feeling of offshoreness seems to be the undercurrent of a primary call: of journeying there in order to stay here.

Uaireanta is gá sult a bhaint as an imeall sin, as bheith amuigh ar an fhairsinge, i bhfad ón chladach. Chuala muid na scríbhneoirí úra an ghairm agus glaoch na murúcha, b'fhéidir.

Beocht, úire, sult agus pian a bhraitear i saothar Ailbhe Ní Ghearbhaigh, banfhile óg Ciarraíoch ó Thrá Lí. Is cumasach mar a lúbann sí an teanga agus baineann tábhacht leis an dóigh a leagann sí amach a cuid dánta. Cluineann muid macallaí ar Rosenstock, eilimintí den chómhra nádúrtha agus den cheol béil chomh maith le hinsint ar thaisteal is ar thuras ina cuid filíochta.

Tháinig an cnuasach nua filíochta *Péacadh* amach le hAilbhe Ní Ghearbhaigh i 2008 (Coiscéim). Baineann nóisean den bhláthú, den fhás, den bheatha leis an teideal sin "Péacadh" a chuireann síol a bheadh ag péacadh sa dorchadas i gcuimhne dúinn.

Ar cheann de na dánta is fearr léi, tá "Tionlacan" ina mbraitear úire agus beocht agus ceol.

> Bhí téada úd na beatha
> á dtarraingt agam
> go teann

Léiríonn Ní Ghearbhaigh na dúshláin atá roimh an fhile óg ag scríobh as Gaeilge inniu sa dán "Laethanta lagmhisnigh":

> Admhaím corrlá
> bím traochta

dá cosaint os comhair an tsaoil

Bím bréan de bheith fréamhaithe
cois leapan
na teangan éignithe
seo
ag guí biseach uirthi
á faire go cúramach
ag impí beatha inti arís.

Tá an t-ádh linne, banfhilí óga na Gaeilge, go bhfuil eiseamláir den scoth againn agus gur féidir linn comhrá lenár réamhtheachtaithe: Máire Mhac an tSaoi, Nuala Ní Dhomhnaill, Biddy Jenkinson, Áine Ní Ghlinn, Rita Kelly, Caitlín Maude, Celia de Fréine agus Bríd Ní Mhóráin.

Sa réamhrá a scríobh Nuala Ní Dhomhnaill do *Sruth Teangacha* le Gearóid Mac Lochlainn, ceistíonn sí an fhéidearthacht atá ann file óg a thraenáil isteach ag file atá níos sine: "As if any real talent worth its salt would respond positively to the poisonous compliment of being 'trained in'", ach nach raibh Seán Ó Ríordáin mar oide ag file INNTI féin? Oide den scoth í Nuala féin a chabhraigh le léithéidi Dhairena Ní Chinnéide cnuasach a thabhairt ar an saol.

Ní i gcónaí a réitíonn an dream óg leis na seanfhondúirí mar a chíonn muid sna rudaí a dúirt an Ríordánach faoi Davitt mar shampla "An filíocht nó gimic é seo ... neosfaidh an aimsir", agus é ag tabhairt amach faoi "Satánachas" Rosenstock. Ní heol dom gur tharla aon titim amach rómhór idir na scríbhneoirí úra agus INNTI go fóill!

Cén t-ardán atá againn mar sin mar fhilí úra? Cén áit ar féidir filíocht as Gaeilge a chur i gcló? Is dóigh liom go bhfuil ardán maith go leor againn nuair a smaoiníonn muid gur féidir ábhar a chur i gcló sna hirisí *Comhar*, *Nua-Aois*, *Poetry Ireland*, *An Guth*, *Cyphers*, *The SHOp*, *Irish Pages*, *Bliainiris* agus cinn eile ach ba bhreá an rud é iris tiomanta don fhilíocht Ghaeilge amháin mar a bhí in INNTI a fheiceáil.

Is é an t-ardán a bhí ag INNTI, ná an iris féin, ach leathnaigh sé amach ina ghluaiseacht agus bhí i bhfad níos mó ná iris ann sa deireadh. Bhain meanma na réabhlóide le INNTI, ach tá an ghlúin seo difriúil. Mar a dúirt an Searcach sa dán "Trasnú" is créatúirí cros-síolraithe muid: "Tá muid leath reamhstairiúil agus leath postmodern ...".

Ar bhealach, thiocfadh linn a rá go bhfuil sé i bhfad níos fusa don fhile nó don scríbhneoir óg Gaeilge ábhar a fhoilsiú ná mar atá sé don fhile Béarla atá ag tosú amach. Tá foilsitheoirí atá an-chomhoibritheach, fáiltiúil agus díograiseach againn: Coiscéim, An Sagart, Cois Life a thug deis dúinn ár saothar a chur i gcló in *Blaiseadh Pinn* a foilsíodh i 2008.

Bhí saothar ag an fhile óg Scott de Buitléir, agam féin Caitríona Ní Chléirchín, Deirdre Ní Chonghaile, Majella Mc Donnell, Simon Ó Faoláin, Ailbhe Ní Ghearbhaigh agus ag Muiris Ó Meara agus bhí Caoilfhionn Nic Pháidín agus Seán Ó Cearnaigh mar eagarthóirí air.

Baineann paisean agus óige le dánta Scott de Buitléir mar a fheiceann muid sa dán "eitilt" (foilsithe in *Blaiseadh Pinn*), dán ina bhfuil fiántas le brath.

> Is tusa píolóta ar an eitleán seo;
> Níl ionamsa ach paisinéir.
> … cuir tús leis an inneall – away linne.

Is léir go bhfuil "an stuif ceart, an mianach áirithe sin" in Simon Ó Faoláin a d'fhoilsigh a chnuasach *Anam Mhadra* in 2008. Tá saibhreas as cuimse ag roinnt lena shaothar, seandálaíocht, stair, macallaí agus anam. Caíonn sé an bhearna idir dhúlra, oidhreacht agus an cine daonna inniu. Mar a deir sé in "Annálacha Éagmaise":

> Tá rud caillte againn,
> Múchta i bhfad thar imeall na spéire.
> Ar nós guth an traona
> Ní chluinfear aríst é.

Braitear íogaire an-ghéar sa dán aige "Chun bheith id' fhear", ina gcuireann sé síos ar an dóigh inár chéas na buachaillí eile a bhí ina theannta loscainn, agus gur chuir sé seo isteach air go mór, gur fhág sé mar a bheadh "máchail" agus "bárthainn" air. Shíl na buachaillí eile go raibh sé seo greannmhar ach níorbh amhlaidh dó:

> Bhraitheas déistin agus trua,
> Is níor thuigeas an sásamh tógtha.
> Ach thairis aon rud eile
> Bhraitheas máchail orm dá cheal
> …
> Braithim an bhárthainn ionam fós.

Léiríonn Simon Ó Faoláin sárchumas friotail sa chnuasach seo, agus "an fhilíocht atá sa chaint féin i gCorca Dhuibhne".

Guth úr Árann a fhaigheann muid i ndánta Dheirdre Ní Chonghaile ar file an-cheolmhar í. Ní nach ionadh toisc í bheith ina ceoltóir fosta. Seasann an dán "Lorg" a foilsíodh in *Comhar* amach go mór i ngeall ar an cheolmhaireacht sin.

Trí scoilt na súl faoi ghrian mhí Iúil
Feicim lorg dubh ar éadach do ghlúin,
…
Cuimhne i mo shúil ar an lá úd.

Deir sí níos faide ar aghaidh sa dán go bhfuil "lorg na haoise á bhronnadh ar an nglúin nua; na muirfhir ag saothrú na mbreac úr, is imní na mban i dtír amach romhainn."

Baineann ceol iontach le guth cumhachtach Phroinsias Mhic an Bhaird, file as Árainn Mhór. Bhuaigh Proinsias an chéad duais i gcomórtas Uí Néill i mbliana, comórtas a reáchtáil Comhdháil Náisiúnta na Gaeilge i mbliana le Turas na bhFilí idir Éirinn agus Albain a cheiliúradh. Tá ceithre leabhar curtha i gcló ag Proinsias cheana idir phrós agus fhilíocht; *Idir Beocht agus Beatha*, *An Tairiscint*, *Cogar san Fharraige* agus *Maggie Sailor* agus *Cailleach na Farraige*. Scríbhneoir agus gearrscéalaí eisceachtúil é Muiris Ó Meara ar file é fosta, a bhfuil samhlaíocht thar na bearta aige.

Admhaím gurbh é an bhé agam féin ná colainn fir nó an dúlra, agus is í an Ghaeilge an teanga rúnda sin a labhrann mo chroí agus mo cholainn. Is í an Ghaeilge an teanga ar mhian liom mé féin a chur in iúl inti, ní mian liom caint faoin teanga féin, ach caint tríthi agus maireachtáil tríthi, achan mhothúchán a bhrath tríthi, achan chéadfá.

Tá an todhchaí ag brath ar an tacaíocht a bheas le fáil ag na scríbhneoirí úra, ar dheiseanna foilsitheoireachta, ar mhaoiniú agus ar mhisneach. Tá áit lárnach ag cúrsaí aistriúcháin sa cheist seo dár ndóigh. Luann Ailbhe Ní Ghearbhaigh an gá atá ann le haistriúcháin ag léamha: nach bhfuil aon dul as agus go mbíonn sé deacair aistriúcháin mhaithe a sholáthar. Níor mhaith linn go ndéanfaí neamhaird dínn.

Mar a deir Ríona Nic Congáil san eagarfhocal, *Comhar* Deireadh Fómhair 2009:

Tá roth mór na scríbhneoireachta Gaelaí ag casadh agus tá deireadh leis na laethanta nuair [a bhí] … an domhan amuigh … mar phríomhthobar na hinspioráide.

Is cinnte go bhfuil dúshláin mhóra romhainn. Tá muid ag scríobh i dteanga mhionlaigh agus caithfidh muid a bheith reálaíoch. Tá an teanga seo faoi bhagairt, ach is grá linn í. Tá deis againn chun ár nguthanna a chur in iúl ach faoi mar a léirigh Cathal Ó Searcaigh sa dán "Trasnú": tá muid ag fí ár dtodhchaí as ár ndúchas ... Ba mhaith linn ól as tobar an dúchais, pilleadh ar na foinsí, ach féachaint amach romhainn amuigh ansin sa saol mór atá lán d'iontas agus d'uafás.

Comhartha dóchais is ea an grá seo atá ag na scríbhneoirí óga don teanga agus don litríocht. Dar le Biddy Jenkinson sa dán "An Cogadh seo" : "Toibríonn dán sa ghrá, grá a bhreosla". Is é an grá breosla na litríochta trí chéile, ach beidh gá le maoiniú, léitheoirí agus tacaíocht áfach. Ní thig linn gan aghaidh a thabhairt ar sheanfhadhb an airgid. Tá deacair maireachtáil, deacair do shlí bheatha a bhaint amach mar scríbhneoir Gaeilge.

Beidh muidne agus an ghlúin a thagann inár ndiaidh ag brath ar na polasaithe a chuirfear i bhfeidhm, agus ar fhoilsitheoirí na todhchaí. Beidh dáileadh na leabhar tábhachtach agus beidh géarghá le heagarthóirí agus le léirmheastóirí. Idir seo agus siúd, díreoidh muid ar an scríbhneoireacht féin!

Tá súil le Dia agam go gcoinneoidh muid ár n-úire agus ár n-aisling agus ár bhfís. Cuimhneoidh muid ar fhocail Uí Dhireáin "Coigil aithinne d'aislinge, scaradh léi is éag duit". Cuimhneoidh muid fosta ar fhocla dodhearmadta Mhic Aodha sa dán "Briseadh an Bholcáin":

Níor eitil an t-éan i ndiaidh a rubaill,
Níor thréig aon bheach coirceog,
Níor shiúil an leon fán gcathair mhór,
An chathair mhór, níor dódh

...

Ná togtar orm é, m'óige –
Níor thuigeas bolcán thar tine.
Tá in am agam tosnú as an nua,
dul ag coraíocht leis an tonn tuile.

Rugadh Caitríona Ní Chléirchín i 1978 agus chaith sí a hóige i Scairbh na gCaorach, Co. Mhuineacháin. Oileadh í ag Coláiste Ollscoile Bhaile Átha Cliath, áit a bhfuil sí anois ina léachtóir le Teanga agus Litríocht na Gaeilge. Tá dánta agus aistí foilsithe aici in Comhar, Cyphers, Feasta *agus* The Irish Times. *Tá a céadchnuasach filíochta,* Crithloinnir, *ar na bacáin.*

DÁN

Aifric Mac Aodha

AN CAISLEÁN NORMANNACH

Do Dhaibhí

Tuigeann an duine conas titim isteach
Le dlíthe, teanga agus nósanna.

Sa chaisleán istigh,
Ligeann fuinneoigín a leithead,

Agatsa fadraon na tíre:
Gan radharc ort ag éinneach.

Thánag ar bhroc is tú ar shiúl,
An corp faoi *rigor mortis*.

Ba den chríonnacht í inniu, a chuid,
Nach rachainn á thaispeáint duit.

A NORMAN CASTLE

That's the way people are. Bending
With language, law and custom.

On this side of the wall,
A window admits its size.

You can mark the expanse
And still keep out of sight.

But then I found a badger,
Stiffed with *rigor mortis*.

Sometimes, my love, it's the better good
When we are not honest.

Translated, from the Irish, by Alan Titley.

Aifric Mac Aodha was born in Co Galway, in 1979. She has just published her début collection, Gabháil Syrinx *(An Sagart).*

CAIDRIMH

Celia de Fréine

LITREACHA

Níor leor duit litreacha a bhreathnú
ag titim dem bheola,

iad a fheiceáil ar foluain,
ag cruthú focal ar shroichint an tsíleáil dóibh

mar, nuair a léigh tú na focail úd,
ní raibh tú in ann iad a chreidbheáil.

Theastaigh uait go dtitfeadh na litreacha
díreach isteach id chluas

le nach bhfeicfeadh fiú
na feileacáin oíche iad.

Dá gcreidfeá, d'fhéadfá focail shonais a chloisteáil,
a bhí níos binne ná áiria ar bith.

D'fhéadfá féilscríbhinn a fheiceáil
a bhí níos saibhre ná pictiúr ar shíleáil ar bith.

Seans go bhféadfá na lionnta dubha
a shlogann mé a sheachaint,

lionnta nach raibh a ndiongbháil le fáil
ach id chuid féin.

LETTERS

It was not enough for you to watch letters
tumble from my lips,

to see them hover,
forming words as they reached the ceiling

because, when you read those words,
you weren't able to believe them.

You wanted the letters to tumble
straight into your ear,

so that not even the moths
would see them.

Had you believed you could have heard
words of happiness sweeter than any aria.

You could have seen a festschrift
richer than a painting on any ceiling.

Perhaps you could have avoided
the black depths that swallow me,

depths
matched only by your own.

LÓN

Nuair a dháileann Katya an mhias mhícheart
orm an athuair cuirtear as dom – tá mo chuid tae
ag éirí fuar agus beidh sé críochnaithe agam
faoin am a thagann an t-ordú ceart nuair a bheidh orm

an dara cupán a iarraidh agus is maith is eol dúinn
go léir nach mblaiseann an dara ceann riamh chomh
maith céanna leis an gcéad cheann. Beidh a béilese
críochnaithe ag mo chompánach faoin am sin

agus beidh ormsa mo chuidse a alpadh sa chaoi is nach
mbeimid mall ag an amharclann, sinn ag clamhsán
is ag cogarnach faoi cé chomh deas is a bhí Tanya
sa bhialann eile an lá cheana, ag samhlú dúinn féin

Katya is Tanya um thráthnóna ag filleadh ar an áit
atá ina baile acu in *Hell's Kitchen* nó *Camden Town*,
na scéalta á malairt acu faoin bheirt bhan
a bhí chomh héasca is chomh deacair sin a shásamh.

LUNCH

When Katya brings me the wrong dish
for the second time I'm annoyed – my tea is
getting cold and will be finished by the time
the right order arrives when I will have

to ask for a second cup and we all know
the second never tastes quite as good as the first.
My companion will have finished her meal by then
and I will have to wolf mine down so that

we are not late reaching the theatre. We will
whine and whisper to each other and say
how nice Tanya was in the other restaurant
the other day and imagine Katya and Tanya

returning in the evening to their home from home
in Hell's Kitchen or Camden Town where
they swap stories about the two women
who were so easy and so hard to please.

OÍCHE ÚD NA BHFOCAL

Maidineacha nuair a chuimhním
ar oíche úd na bhfocal
nuair a d'fhiafraigh tú díom cén fáth

Laethanta nuair a théim ar strae
tríd an bportach ag bailiú cadáis

Tráthnónta nuair a shníomhaim
snáth den chadás

Oícheanta nuair a shníonn
mo shnáthaid den snáth

sliogáin, feileacáin, scothóga
a fhiafraíonn díom céard a tharla:

an ag béal na habhann
nuair a thiontaigh tú chugam

nó ag an sunda
agus na madraí faoi shuan?

THAT NIGHT OF WORDS

Mornings when I remember
that night of words
when you asked why

Days when I stray
through the bog collecting cotton

Evenings when I spin
the cotton into yarn

Nights when my needle fashions
from the yarn

shells butterflies blossoms
that ask what happened:

was it at the river's mouth
when you turned to me

or at the sound
as the dogs slept?

Celia de Fréine is a poet, playwright, screenwriter and librettist who writes in Irish and English. She has published four collections of poetry: Faoi Chabáistí is Ríonacha *(Cló Iar-Chonnachta, 2001),* Fiacha Fola *(Cló Iar-Chonnachta, 2004),* Scarecrows at Newtownards *(Scotus Press, 2005) and* imram:odyssey *(Arlen House, 2010). In 2009 Arlen House published* Mná Dána, *a collection of her plays, the same year as the Abbey Theatre presented a rehearsed reading of her short play* Casadh, *which it had commissioned.*

AN CRANN
(Mír as Dráma)

Liam Ó Muirthile

They were great believers in the gods of the woods and the water.
Ba mhór a ndóchas as déithe na gcoillte agus an uisce.

Act 1, Scene 3

Evening in the tree house.

MR. WOODS   Bhí ár gcuid Arabach féin againne anseo, leis. I mbun sclábhaithe. Nach é an Sultan áitiúil a chuir ár gcrainn chlóbh féin ag fás anseo timpeall?

Rises from table. The scene changes to an acting out of a historical scene. Mr. DIY enters to become the horse of an open carriage. Futa Fata is the driver / local agent. Mr. Woods and Miss Moss, the landlord and his wife surveying a location for a summer residence. They circle around the whole stage with the usual exclamations, coming to a halt above the gorge. Accents of the "landed type", except of course Riordan.

MR. WOODS   Halt here, Riordan, this looks like the spot. Very well elevated above the gorge, and it appears from what I hear, an exuberant flow of water. Very healthful indeed.
         (Taking in lungfuls of air, moderately.)

MISS MOSS   *(Opening an umbrella.)* Most salubrious, but it *would* need some form of shade. The sun is most harsh on the complexion.
         (Powders her cheeks.)

MR. WOODS   Shall we take a closer look?

MISS MOSS   Oh, the ground appears much too soft.

FUTA FATA   *(Addresses her indirectly through landlord.)* I can carry her ladyship if she likes.

MR. WOODS   That will be *quite* unnecessary, Riordan. Come along.

FUTA FATA   *(Tethers the reins.)* Right, your lordship.

MR. WOODS   And you say the shooting is good here.

FUTA FATA	There's plenty of red grouse, up above there on the moor or the *réidh* as we call it, lots of partridge, bags of pheasant, woodcock in season, snipe.
MR. WOODS	No need for any extra stocking of game then. (*Arriving at gorge.*) I see the stream has cut right through the sandstone, forming the declivity. It must be all of eighty feet perhaps? What is it you call this river?
FUTA FATA	The Fothrais, your lordship.
MR. WOODS	Most unwieldly. I will not even attempt a pronunciation. It would be very bad for the mouth. Ha, Ha.
FUTA FATA	You'd have to clear a road up there behind to get at the site of a residence. There's some tenants there. Maybe ten families. Their people have been there for a long time.
MR. WOODS	I will have a surveyor call and take a map of the area. We will have to do some clearance.
FUTA FATA	We will, your Lordship. There's a *ráth* here as well, a fairyfort. Just behind here where the old oaks are.
MR. WOODS	Of course, I see it. How interesting. We must have appropriate respect for people's customs, in as much as they do not oppose our great project of civilisation. It would be utterly enchanting to have it incorporated into a new plantation. Our English visitors are quite taken with the old ways. We must have stone pathways for walks, secure underfoot for the ladies and gentlemen, and wide enough for a carriage. I can see it all quite clearly now … the southerly aspect, and that view over the open ground with the mountains in the distance, in addition to the rush of water on a summer's morning carrying all that vigour. We absolutely *must* create a clearing here in the new plantation. We can take the air here, while dining as the Italians have it, *al fresco*, above the gorge.
FUTA FATA	We're standing on ancient ground here, your Lordship.
MR. WOODS	We are indeed. I am very aware of it.
FUTA FATA	The poets had a special regard for it, and had some of their gatherings here. They believed it was sacred. But sure, they were half-cracked, a lot of them.

MR. WOODS   I can well believe it. Purveyors of superstition and otherworldly belief. …You must understand, Riordan, that I have tried to meet my obligations in full conscience, as a Landlord. I *am* aware that there is some residual animosity among the natives, even a deep animosity among the impoverished droves, but in time they too will come to see that it is ultimately to their benefit that we are here. The settlers and the natives will have then become one in harmony with the very landscape itself, enjoying all the fruits and bounty of this marvellous country … and you are sure that there is little danger of any … nastiness … here?

FUTA FATA   The last campaign to root out the the troublemakers made a clean sweep of them. They were scorched out. Even down to the youngest sons in families.

MR. WOODS   Off on their Antipodean Adventure in Captain Cook's colonies!

FUTA FATA   They'll be far enough away.

MR. WOODS   It does seem quite *unreasonable* to our view that they should cultivate an infestation of resentment and bitter animosity in the matter of the felling of the forests and the necessary clearances. They are nurtured on vile hatred at their mothers' breasts, without any spark of enlightenment in their dark world of superstition, without comprehending in the least fashion that His Majesty's fleets are in urgent need of oak for the continued conquest of the High Seas. His Majesty's great warships heave and groan and are sustained under the lash of tempests in the westernmost Indies, thanks to our sturdy and loyal oak. Our very survival as a Great Power depends on the oak. And the natives themselves were fully and are still now engaged in the actual felling, the milling, the sawing, the drawing and even the victualling of the great enterprise. Great ironworks have sprung up where heretofore there were none. The nauseating streets and main thoroughfares of Cork city are testimony to the great slaughter of beasts for His Majesty's fleets!

FUTA FATA	There's not a family here but has a ferkin of graded butter making for Cork.
MR. WOODS	Of course, the ferkins themselves are of oak, the tannin extracted is vital for curing the hides … leather goods, shoes, and other manufactures, all, depend on our Royal Oak … I believe we have finished here. It is time to get back.
FUTA FATA	'Tis time all right. We've had the best of the honey of a summer's day.
MR. WOODS	You have always been exemplary, Riordan. I would be keen that your co-religionists display that same quality of deference, of complete lack of insolence.
FUTA FATA	Some people don't know what's good for them, your lordship.
MR. WOODS	Indeed, indeed. (*To Miss Moss.*) Well, it appears, dear, that this is the place for our summer residence. I will have Featherstone come and walk the ground to take his levels.
MISS MOSS	It will be such a relief from all that bustle in Blarney.
MR. WOODS	And for you, my dear, I shall have a waterfall built on the stream, to convey with a construction in nature the very essence of healthfulness.
MISS WOODS	In the Italian fashion.
MR. WOODS	Yes, just as the Romans would have it. They *were* great believers in the gods of the woods and the water.
MISS MOSS	A discreet shrine in the woods perhaps … to what god is it?
MR. WOODS	Nemistrinus, I do believe … Move along, Riordan … Nemistrinus.

They resume their former positions on stage.

Scene 4

Cáit na Coille enters left of stage with Miss Bonsai. Cáit na Coille is dressed for the everyday now, probably in an old-style costume, but with her string of pearls showing, and carrying a large handbag. Miss Bonsai is dressed and made-up as if she were going out to a disco or to meet her man, or inappropiately for the woods at least. Cáit heads for the settle with Futa Fata, which he does not appreciate. Miss Bonsai heads for a bench at the other end of the table from Mr.Woods. As they enter …

CÁIT NA COILLE Ní raibh aon chuma air go raibh sé ag dul amach don oíche nuair a bhíos-sa ag caint leis.

MISS BONSAI (*Furiously texting on her mobile. She speaks "new" Irish*) Ó mo Dhia! Níl sé ag cur freagra ar mo *texts*. Tá an *mobile* ar *off*.

CÁIT NA COILLE Tá, agus ar *off*.

MISS BONSAI Rachaidh mé … tá mé … *absolutely* as mo mheabhair. Ó mo Dhia! Tá mé *bombarded* le cultúr san áit seo. Níl mé ach ag iarraidh dul ag rince.

FUTA FATA Nuair a bhíos im Mháistir Rince ar mo shiúlta bheartaíos rince nua ar fad a fhoghlaim nach raibh ag éinne eile. Bhí trácht cloiste agam ar an tangó ó mhairnéalaigh agus chuas ar bord loinge a bhí ag seoladh go Buenos Aires, cliabhán an tangó. Bhí an turas an-achrannach i gceann de na *windjammers* deireanacha a sheol go Meiriceá Theas … (*Sees they are not going to listen to another long rigmarole. Does a few steps of the so-called tango — probably very poorly.*)

I gcaifé sna cúlsráideanna a d'fhoghlaimíos na steipeanna. Níl rince eile ar domhan mar é. Bíonn gal ag éirí asat féin agus do pháirtnéir, ar chuma dhá chiteal ag dianbheiriú, ach ní ligeann an rince duit an citeal a bhaint den teas. Teas coirp a chéile, mar dhá chrann i gcumar a chéile … géag anso, géag ansúd …

MR WOODS (*Animated by the guff, participates in it.*) Tháinig sé abhaile ina dhiaidh sin agus bhunaigh sé féin agus mé féin buíon rinceoirí agus aisteoirí!

The company become members of a travelling players group, Na Crosáin, each representing a different "tree" character, such as might visit a taoiseach Gaelach's household for a "scoraíocht" or gathering. They are one aspect of the underlying layer of what has been swept aside by the planters' culture. They are both lighthearted and serious with extempore poems, verses, and bits of songs. They are physically energetic and throw shapes. They have various bits and pieces of wood and other objects, musical instruments if possible, with which they make rhythmic music and noise …

FUTA FATA (*Óinmhid*)	Cnugaim cnagaim ar dhoras do thí …, Éirigh amach a bhean a' tí, scaoil isteach sinn is réitigh roinnt bídh, puins le n-ól is branda! Tá spalladh ceart orainn gan greim inár bputóga, d'ólfaimis an braon anuas amach as barr do bhróige!
CÁIT NA COILLE (*Bean a'Tí*)	Fáilte romhaibh is céad a straeirí fáin im thigh, cad as a ghabh sibh chugainn? Tá flúirse anso istigh.

The following lines could be done with choreographed movement.

MISS MOSS (*Crosán 1*)	Bímid lá ar an sliabh.
MR. DIY (*Crosán 2*)	Ní bhainimid le héinne.
MISS BONSAI (*Crosán 3*)	Sinne sinn féin amháin.
MR. WOODS (*Crosán 4*)	Ag imeacht ó thigh go chéile.
MISS MOSS	Bímid oíche sa choill.
MR. DIY	Is oíche sa ghleann.
MISS BONSAI	Mairimid sna scáileanna
MR. WOODS	A phreabann ó chrann go crann.

Break in movement.

FUTA FATA	Tabhair dúinn deoch is gheobhair uainn véarsa, is cá bhfios cad a gheobhair má ullmhaíonn tú féasta!
CÁIT NA COILLE	Aire dod bhéal a bhacaigh dhrochmhúinte,

FUTA FATA   Bhís tráth breá fial
is tú id bhean óg lúfar ...

Crosáin le chéile
Nuair a bhí sí sa ghiúmar
ina bean óg lúfar ...

*Silence then follows for the performance of the recitation. It could begin with a
rhythmic introduction on wood instruments / bones, etc. The poem begins with a light
touch, but becomes strangely moving to the listeners.*

MR. WOODS   Dair ársa mise,
mall righin ag fás;
dair lán de stair,
im sheasamh leis an lá.

Ní fios cé chuir mé,
préamhaím go doimhin sa chré;
bainim le haer an tsaoil,
sheolas anso ar an ngaoth.

Chuirfinn ceann docht ar thigh,
luífinn fúm im chlár urláir,
dá mbainfí séibhíní craicinn díom
dheatóinn le blas bradáin.

Ceaig fíona, feircín ime,
fáiscim frámaí ar bháid;
shíneas mo chabhail im chíle
i loingeas ríthe an domhain tráth.

Bhíos im roth, bhíos im bhoth,
ba mé scoth uaisle na coille;
d'umhlaídís draoithe dom,
ba mé bile na bile.

Tá iarann im chroí,
tá mianach miotail im lár;

deineadh mé a shlad le feall,
d'éiríos ón dtalamh bán.

Thugas dídean gan cíos,
is fós tugaim scáth;
sceithim uaim mo chnuas
tráth a lomann mo bhláth.

Táim im sheasamh nocht,
ní iarraim cúis ná brí,
ach ligint dom mar atáim
is a bheith mar a bhí.

Company responds, first in silence then with Ardfhear a Dhair! etc. The following verses should be performed sensually, humorously and musically, the birch being imagined as a feminine tree.

MISS MOSS   Crann beithe mise
caol díreach ard;
mo chraiceann mín síoda,
mo chom lom bán.

Whistling, wolf calls, Déanfam rince! Etc.

Mo phíb fhada mar eala

Ohhh … recognizing the clichéd image.

mo ghéaga sciathán;
deinim *ballet* mór na coille
le ceolfhoireann chrann iomlán.

Dair an druma,
trom an trumpa,
fearn an giotár leictreach,
giúis ag gnúsacht *oompah*!

Cuileann an phíb uilleann
mailp é gach veidhlín,
leamhán lena shrón
mhór fhada an trombón binn!

She gets honks of appreciation for this. Tinkling of bells from Crosáin 2 & 3 to imitate the sounds of the ice-crystal chandelier breaking.

Bím reoite le sioc
ag sileadh oighir chriostail,
chloisfeá gach pioc díom
ag pléascadh mar phiostal

a scaoileann urchar
nuair a bhogann an lá;
chandelier briste na coille
ag titim, is ag leá ar lár.

Rincim ar aer athuair
nuair a éiríonn gaoth,
crochann mo dhuilliúr
ag triomú ó thaobh, taobh.

Ballerina caol na gcraobh,
im cholgsheasamh, álainn;
siogairlín na coille, féach,
is ortsa 'bhím ag stánadh!

MR. DIY   Ormsa bhíonn sí ag stánadh!
MR. WOODS   Ormsa bhíonn sí ag stánadh!
FUTA FATA   Orainne bhíonn sí ag stánadh!
MR. DIY   Fuinseog mise
gan aon éirí in airde
seasaím ar an gclaí
leis na sceacha, mo chairde.

Uirlis ghroí oibre,
sáfach tua nó spáid,

sclábhaí bocht na coille,
im speal nó ag píceáil.

Bím lá ar an bportach
ag sileadh allas fola,
lá ag gearradh adhmaid,
lá ar fhleasc mo dhroma

is mo cheann docht i gcasúr
ag cnagadh ar urlár;
táim bodhar ar fad ag obair
is tairní ag gobadh trím lár!

Ach is é rún mo chroí
a bheith im chamán,
go mbéarfaí go haclaí
orm idir dhá lámh.

Sin é an uair
a nochtóinn mo mhianach,
lúbaire na páirce,
an diúrac díreach,

creathadh líontáin,
liú ón slua,
méireanna dom fháisceadh,
flosc úd na bua.

Nó thabharfainn go dóite é
le buille sa bhois,
do chamáinín beag gleoite
is bhrisfinn a chois,

nó thabharfainn ceann salach dó
isteach sna dubháin,
tá crúca thiar ar chluais liom
a d'fhág rian ar mhórán

glúine ná caitheann caipín....

"He's getting carried away now", "Give him air"... Whistling, etc. as the crowd at the hurling match.

MISS BONSAI   Mise an *bonsai* beag
a tháinig ón tSeapáin,
cónaím istigh i bpota
ní fhásaim ach fíorbheagán,

ní dheinim moill sa choill
le feá, ná beith ná dair,
is mian liom dul ag rince
agus imeacht liom thar lear,

is go dtabharfaí an-aire
dom gach lá beo,
ag fás istigh i bpota
im *bonsai* beag go deo.

Chainsaw has entered while she is just finishing. He is an "outsider" and has very little time for the carry-on. A practical man, who has a job to do.

File agus prós-scríbhneoir é Liam Ó Muirthile a rugadh i gCorcaigh i 1950. Is é údar shé chnuasach filíochta é — an ceann is déanaí, Sanas *(Cois Life, 2007) — chomh maith le dhá dhráma, dhá úrscéal agus bailiúchán aistí. Foilseofar an t-úrscéal is déanaí leis,* Sceon na Mara *(Cois Life) i 2010. Is comhalta d'Aosdána é.*

CÚIRT GHEAL NA TIMPEALLACHTA

Michael Cronin

Séard atá ag teastáil anois ná réabhlóid nua, is é sin réabhlóid an inmheánaithe.

Agus é ar an mbád go Sasana i 1981 feiceann an scríbhneoir agus an taistealaí Frainc Mac Brádaigh bean óg ag gol. Dúisíonn íomhá thruamhéileach seo na heisimirce fearg an tráchtaire shóisialta, "Dá dtabharfadh muid aird ar na héagóracha is an t-athmhachnamh is gá a dhéanamh thuigfeadh muid go bhfuil athruithe bunúsacha de dhíth leis an tsochaí". Bíonn macalla na bhfocal sin le cloisteáil arís agus muid sáite i ngéarchéim eacnamaíoch eile atá ar bhealach níos measa agus níos baolaí ná an ceann a ghríosaigh an bhean chroí-bhriste chun siúil ag tús na n-ochtóidí. Ní foláir athmhachnamh iomlán a dhéanamh ní amháin ar na héagóracha bunúsacha sa tsochaí ach ar ról na teanga i bhforbairt agus in athmhúscailt an oileáin. Tá dánaíocht na smaointeoireachta réabhlóidí de dhíth orainn arís ach cén cruth a bheas ar an léirsmaoineamh radacach seo?

Réabhlóid 1

De ghnách cuirtear síos ar an ré chomhaimseartha mar ré an domhandaithe. Tharla athruithe bunúsacha sa chóras geilleagrach idirnáisiúnta ag deireadh na haoise seo caite a chuir tús le réabhlóid nua i gcúrsaí eacnamaíocha. Ní raibh an córas Fórdach a bhí bunaithe ar olltáirgeadh agus ar fhorlámhas na gcomhlachtaí móra ag feidhmiú a thuilleadh. D'fhás an táirgeadh iar-Fhórdach as an dlúthcheangal idir cumhacht na ngréasan ríomhaireachta agus teileachumarsáide agus córas táirgthe iomlán dí lárnaithe. Bhí comhlachtaí in ann earraí a dhéanamh i monarchana scaipthe ar fud an domhain ar chostais an-íseal agus le cabhair na teicneolaíochta faisnéise ní raibh deacracht ar bith ann táirgeadh agus soláthar na n-earraí a stiúradh. Cuireadh deireadh le rialacha maidir la malartú airigid agus an bhunsprioc a bhí ag an gComhaontú Ginearálta do Tharaifí agus Trádáil agus ag an Eagraíocht Trádála Domhanda ná fáil réidh le bacainní taraifí. Tháinig fás ollmhór ar thionscal na fógraíochta a bhí dírithe go príomha ar mhianta luaineacha na dtomhaltóirí iar nua-aimseartha ar leibhéal domhanda (tábhacht an "bhranda"). Is féidir a rá gurbh ionann réabhlóid an domhandaithe agus réabhlóid an tseachtraithe. Is é sin a rá gurbh í tréith shuntasach an chórais nua an tseachtracht, go raibh comhlachtaí in ann chuile fheidhm beagnach de chuid na comhlachta a lonnú in áit ar bith. Ar ndóigh, bhain Éire an-leas as an gcruth nua seo i scéal an gheilleagair.

Ní féidir áfach leathnú gan stad i spás críochta. Ní féidir ach an oiread baint i gcónaí ó acmhainn chríochta. Tuigtear anois nach bhfuil ach domhan amháin againn agus acmhainn ghann agus teoranta ar an bpláinéad sin. Má leantar ar aghaidh leis an éiseamláir gheilleagrach atá i bhfeidhm faoi láthair scriosfar an timpeallacht atá mar bhunús riachtanach d'fhadsaol an chine daonna. Ní mór athmhacnamh a dhéanamh ar chuile ghné d'fheidhmiú na sochaí ionas go mbeidh seans ag saoránaigh an domhain na deacrachtaí do-sheacanta seo a shárú. Séard atá ag teastáil anois ná réabhlóid nua, is é sin *réabhlóid an inmheánaithe*. Ciallaíonn réabhlóid an inmheánaithe go mbeidh todhchaí agus inbhuanaitheacht na sochaí as seo amach ag brath go tréan ar an gceangal leis an áit logánta. Sa bhliain 2005 bunaíodh gluaiseacht i gCionn tSáile i gCorcaigh chun tús a chur leis an réabhlóid. I gcomhthéacs buaic ola agus athrú aeráide an sprioc atá ag *Transition* nó Trasdul ná úsáid fuinnimh agus acmhainní teoranta eile a laghdú go suntasach. I ngach aon réimse – bia, iompar, fuinneamh teaghlaigh – cuirtear an-bhéim ar earraí agus seirbhísí a fhoinsiú san áit logánta í féin. Déantar é sin trí gharraithe pobail, córais bhabhtála, ceardlanna athchúrsála agus aroile a eagrú. Mar chuid den réabhlóid riachtanach seo ní foláir athcheangal a dhéanamh arís leis an áit logánta ach chun é sin a dhéanamh ní mór dúinn teacht ar thuiscint ar nádúr, ar stair agus ar thualaing na háite. Bunchloch na tuisceana sin sa tír seo ná an Ghaeilge a thugann eolas as cuimse dúinn maidir le seanchas, logainmneacha, dinnseanchas, miotaseolaíocht, amhráin a bhaineann le háit ar bith ar an oileán. Dá bhíthin sin, ba chóir go mbeidh an teanga i gcroílár chuile iarracht chun inbhuanaitheacht na sochaí a chinntiú sna blianta atá romhainn.

Réabhlóid 2

Is féidir a mhaíomh gurbh í an réabhlóid ba thábhachtaí i stair na hÉireann ag deireadh an naoú haois déag ná go bhfuair muintir na hÉireann (nó cuid dóibh ar aon nós) athsheilbh ar a dtalamh féin. An bhunaidhm a bhí ag lucht Chonradh na Talún ná fáil réidh le héagóir an díshealbhaithe coilinigh. Mar thoradh ar an ngluaiseacht sin áfach, agus ní féidir fiúntas nó cóir na gluaiseachta í féin a shéanadh, tháinig cultúr nua i dtír agus fuair an cultúr seo greim docht ar mheon na nÉireannach, is é sin, cultúr na seilbhe. Le linn bhlianta an Tíogair

Cheiltigh ba léir go raibh reiligiún seo na réadmhaoine i mbarr a réime agus luach na dtithe agus na talún de ló is d'oíche i mbéal an phobail. Tá an tír anois breachta le heastaít tithíochta scáinte, mar mheafar truamhéileach ar chultúr santach na seilbhe. Sin an dara réabhlóid atá ag teastáil ná bogadh ó chultúr na seilbhe go *cultúr an chónaithe*. I dtéarmaí eile, is tábhachtaí ar fad timpeallacht ná séalúchas. Caithfimid freastal ceart, íogair a dhéanamh ar an áit ina bhfuilimid in ionad a bheith scartha amach uaithi ar árthach spás an ábharachais. Ar bhealach, níl an dara rogha againn; muna n-aithnítear cinnireacht bhunúsach na timpeallachta beidh deireadh leis an saol mar atá. Sa chomhthéacs seo, conas is féidir le héinne bheith ag maireachtáil go tuisceanach agus go leochaileach in aon áit ar oileán na hÉireann gan chur amach aige nó aici ar an teanga a chuimsíonn an oiread sin eolais ar an dtír máguaird? Ar ndóigh, cuireadh tús le gluaiseacht na hAthbheochana aimisir Chogadh na Talún. Anois agus réabhlóid eile de dhíth orainn chun dul i ngleic le fadhbanna práinneacha an aithruithe aeráide, tá ról lárnach arís ag an teanga chun fíor-chultúr an chónaithe a chruthú, a chothú agus a spreagadh.

———

Tabharfaidh an dá réabhlóid seo, réabhlóid an inmheánaithe agus réabhlóid an chónaithe, aitheantas ceart don teanga dhúchais ach ní mar rud dúnta, seasc, seachantach ach mar eochair na fuascailte, dhoras an feasa, ghléas na fairsinge. Do thuig Séamus Ó Doireadháin san ochtú haois déag an méid seo nuair a chum sé dán in ómós do Shliabh Liag:

Is ag sáil Chnocán Áine tá cúirt gheal is parlús
Aolbhallaí bána agus táiplis 'na suí
Is go mórbhruínte an tsléibhe a ghluaiseas na céadta
'Un bainse 'gus an féasta is a leithéid as gach tír
Bí slua de mhná Gréagach dualach dea-éadaí
Is cláirseach ar théadaí a mbréagadh agus píob.

D'oscail focail Uí Dhoireadháin cúirt gheal na timpeallachta. Ba chóir anois go mbeidh ceolchoirm sin na héagsúlachta le cloisteáil i ngach aon cheard den oileán.

Tá Michael Cronin ina Ollamh in Ollscoil Chathair Bhaile Átha Cliath. Is é údar An Ghaeilge sa Nua-Aois/Irish in the New Century *(Cois Life, 2005) é. Tá sé ina Chomhairleoir Litríochta le Comhairle Ealaíon na hÉireann (litríocht na Gaeilge).*

THE HOWL FOR ART Ó LAOGHAIRE

Paddy Bushe

Translated from the Irish of Eibhlín Dubh Ní Chonaill (circa 1743–1800).

(i)
My love holds fast in you!
That day I chanced on you
Beside the market-house,
You were my eye's distraction,
You were my quickened heartbeat,
I left home and family
To travel far with you.

(ii)
It never went bad for me:
You had the parlour cleaned for me,
Rooms painted to please me,
Ovens well-heated for me,
Trout by the gills for me,
Spitted roast meat for me,
Slaughtered beasts for me;
Duck-down sleep for me
Until the cows came home –
Even more, if it pleased me.

(iii)
My firmest friend!
It lives in me always,
That boisterous spring day;
How well it became you,
That gold-banded beaver,
Your silver-hilted sabre
Held in highhanded bravery –
The swaggering, the daring
Had your enemies shaking,

Venomous, but craven;
You ready for a tearaway
On your white-faced mare.
The English abased themselves
Down towards the clay then,
And not for your own sake
But for how much you scared them,
Though you got your grave from them,
My heart's dearest favourite.

(iv)
My chevalier, white-handed!
How well your jewelled tie-pin
Pierced firmly through the cambric,
And the lacing adorned your hat.
When you came from abroad to us
They'd clear the road for you,
And never out of love for you,
But with their deepest curse for you.

(v)
My lover now, and always!
When they come into the hallway,
Conchubhar, everyone's favourite,
And Fear Ó Laoghaire, the small one,
They'll ask, all hot and bothered,
Where I have left their father.
I'll tell them through my horror
He's beyond in Cill na Martar.
They'll call out for their father,
With silence for an answer.

(vi)
My love and my pet!
Kin to Antrim's earl
And to the Barrys from Aolchoill,
A blade well became you
And a gold-banded beaver,

Boots of Spanish leather,
And suits of finest cloth
You had woven abroad.

(vii)
My deepest darling!
I knew nothing of your killing
Until your horse came straggling,
Her reins beneath her trailing
And your blood upon her withers
Back to the figured saddle
Where you'd sit or stand, daredevil.
My first stride cleared the doorstep,
My second flew through the gateposts,
My third step found your stirrup.

(viii)
My wrought hands beating,
I set your mare careering
As fast as ever I've ridden,
To where I found you deathly still
Beside a stunted whin-bush,
Without pope, without bishop,
Without clergy, without priesthood
To read over you from scripture,
Just a woman, old and wizened,
Who spread her cloak to ease you,
And the blood on you still streaming;
Nor did I not stop to clean it,
But palmed it up to drink it.

(ix)
Forever my darling!
Rise up to your full standing
And come away back with me,
That we have a bullock slaughtered,
That we organise a party,
That we get the music started,

That I prepare a bed for you,
With fine sheets spread for you,
And patchwork quilts so heavy for you
They'll make sweat break out in you,
Better than that chill you've taken.

(x)
My firmest, and my favourite one!
There's many a graceful woman
From Cork of the tall sails
To Droichead na Tóime,
With acres of cattle-dowry
And handfuls of gold coin,
Would not have slipped away to lie down
The night that they waked you.

(xi)
My lamb, my sweet one!
Don't ever believe it,
That slander that reached you,
Nor their poisonous sneering
That I had been sleeping.
It wasn't sleep that I needed,
But your children were grieving
And needed me near them,
So I lay down to ease them.

(xii)
You people of my own kind,
Is there a woman in Ireland
Who, night after nightfall,
Would lie down beside him,
Who is carrying his third child,
Who would not lose her mind
When Art Ó Laoghaire is lying
Here, drained and lifeless,
Since yesterday morning?

(xiii)

Morrisín, that I may see you
Disembowelled, bleeding,
Your eyes unseeing,
On your shattered knees –
Who killed my sweet one –
And not one man to be found
Who will shoot you down.

(xiv)

My love and my kind!
Up now, Art, you boyo,
Up on your horse's back,
Away with you to Mágh Cromtha
And back by Inse Geimhleach,
Lowering wine from the flagon –
Because you're indeed your father's son.

(xv)

It's a bitter hurt inside me
That I wasn't beside you
When the bullet was flying,
And I'd take it in my right side
Or the folds of my white blouse,
To let you go for the high ground
You sweet-handed rider.

(xvi)

This I cannot bear –
That I could not be there
When the gunpowder blazed.
Deep, deep in my waist
Or in my dress I'd have taken it
To have let you clean away
To settle with them another day,
Rider of the blue-grey eyes.

(xvii)

My beloved treasure!
It's no hero's reception:
A shroud and a coffin
For the bighearted horseman,
At home by a trout-stream
Or drinking in drawing-rooms
With fashionable women.
And I do not yet comprehend
That all of this has ended.

(xviii)

May you live to know horrors,
Morris, for your foulness!
Who killed the man of my house,
The father of my unborn;
Two children wandering the house,
And in my womb a third
That I'll hardly bring to birth.

(xix)

My shining favourite!
When you headed out the gateway
You turned at once and raced back,
Embraced your two children
And blew a hurried kiss to me.
You said, "Eibhlín, go quickly
And attend to your business
As soon as ever you can.
I'm going now, and I'm leaving you
And most likely I won't return."
I only made light of your words,
Having heard them so often before.

(xx)

Dearest friend of mine!
Bright-hilted rider,
Let you rise up now

And attire yourself
In the best of your finery,
Put on your black beaver,
Draw on your calf-hide gloves,
Hold your whip up high;
Your mare is just outside.
Take the eastern by-road
Where trees will quail before you,
Where streams will narrow before you,
Where people will bow before you
If they remember their manners –
A thing sadly out of fashion.

(xxi)
It's not my kin who have gone,
Nor the death of three of my own;
Nor Domhnall Mór Ó Conaill,
Nor Conall whom the tide drowned,
Nor my sister, twenty-six years old,
Who lived high and died young
Among royalty abroad –
It's not these whom I invoke,
But Art to be struck down
Near the river at Carraig an Ime! –
The brown mare's rider
Who lies alone with me here –
Not another living soul near
Only the black-robed women of the mill,
And to multiply my grief,
Their eyes dry of tears.

(xxii)
My calf, my own favourite!
Art Ó Laoghaire,
Son of Conchubhar, son of Céadach,
Son of Laoiseach Ó Laoghaire,
Who came east from the Gaortha
And west from an Caolchnoc,

Where berries are fragrant
And nuts heavy on hazels
And apples cascading
In their proper season.
Who could be amazed now
Were Uíbh Laoghaire to blaze up
With an Guagán's sacred lake
For that skilled horseman's sake,
Who at the end of the chase
Would ride down the failing stag
Beyond the pack's baying?
And oh, you sharp-eyed rider
What happened last night to you?
For I felt deep inside me
The wide world could not strike you
When I laid out your finery.

(xxiii)
My friend and my love!
Kin to noblest bloodlines,
With eighteen women to nurse you,
Whose pay for this was good –
A milking cow, a mare,
A sow and her litter,
A mill by a river,
Gold coins and silver,
Fine velvet and silk,
A farm from the landlord –
For their breasts yielding milk
To the heir of fine manhood.

(xxiv)
My deep, deepest love!
My pet, my whitest dove!
Although I never came to you,
With troops of followers to save you,
That was no shame to me

For they were in a hard place,
In closed-up chambers
And in narrow grave-pits
In a sleep beyond waking.

(xxv)
Were it not for pestilence
And the black death
And foul infection,
That band of hard horsemen
Would be shaking their harness
In clamorous procession
On their way to your burial,
My bighearted Art.

(xxvi)
My love on me shining!
Kin to those wild horsemen
Who would track through the glen
Until you'd turn them again
Back into your dininghall,
Where knives were being sharpened,
Pork served up for carving,
With endless racks of finest lamb
And a mess of oat grain fattening
To speed the horses' galloping –
Sleek long-maned stallions
And grooms standing by them
With no reckoning for lodging
Or for the horses' foddering
From week to week's ending
While you partied with your friends.

(xxvii)
My own calf, my favourite!
I saw through a dark haze
A nightmarish vision,

In Cork in the late hours
Alone where I lay:
That our bright house was razed,
That the Gaortha had dried,
That your hounds had no baying,
That birdsong had died
When you were found lying
Out on the bare hill
Without priest, without cleric,
Just an old, old woman
Who spread a corner of her shawl
On you stitched to the clay there,
My Art Ó Laoghaire,
With your blood cascading
Down your gaping shirt.

(xxviii)
My rooted love!
How well that suited you,
Stockings of toughest stitching,
High-polished knee-boots,
A tricorne Caroline
And a whip to flick at
A frisky colt —
And many a modest maidenly eye
Drank you in from behind.

(xxix)
My love for my life!
When you went to the prosperous
And powerful towns,
Those merchants' wives
Would bow right down to you
Because they knew deep inside them
How in bed you would drive them,
No better front-rider
To sire a child for them.

(xxx)

By Jesus Christ, there is nothing,
No headgear, no millinery,
Nor finely-stitched linen,
No shoe, no stocking,
No furniture or hanging,
Not even the brown mare's tackling,
That I won't sell to buy law
And I will travel abroad
To petition at court
And if I get no satisfaction
I will come straight back
To the black-blooded savage
Who rifled my treasure.

(xxxi)

My love and my pet!
If my call were to echo
To Doire Fhionáin westward
And to Ceaplaing of the yellow apples,
It's many the light horseman
And white-kerchiefed woman
Would be here with all speed
To weep by your head,
My laughing Art.

(xxxii)

And my heart is grateful
To the fine women of the mill,
For the tears they have shed now
For the brown mare's fallen rider.

(xxxiii)

May you dearly rue it,
Seán Mac Uaithne!
If it was a bribe you wanted
Why not have come to me

And I'd have given you plenty:
A fine long-maned pony
To have sped you away from
Any crowds or strangers
At the first sign of danger;
I'd have given you cattle,
Or sheep when they're lambing,
I'd have seen you well-suited,
And spurred and booted,
Although it would have stuck
In my craw to have looked at you,
Because according to rumour,
You're a spineless wee boor.

(xxxiv)
White-gloved rider!
Since now you are laid low
Rise up to Baldwin,
Of the scrawny mind
And the scrawny body,
And make him pay dearly
For your beloved mare
And for what I must bear.
May his children never blossom!
To Máire I wish no harm,
Although I do not love her,
But my mother bore her
Three seasons in her womb.

(xxxv)
My love deep, deep down!
Your stacks of barley stand
And your cows' yield is good.
But my heart is in a gloom
That all of Munster could not cure
Nor the smiths of Oileán na bhFionn.
Until Art Ó Laoghaire comes once more

There will be no lifting of the sorrow
That has my heart blocked,
Shut utterly off,
Like a chest still locked,
When the key has been lost.

(xxxvi)
You weeping women, hold
Your step out there as one,
While Art Mac Conchubhair calls a round,
Moreover for the poor,
Before he enrols in that school –
To learn no lore or tune,
But to bear the clay and stone.

Paddy Bushe was born in Dublin in 1948, and now lives in Waterville, Co Kerry. He writes in both Irish and English, and has published eight collections of poetry, most recently To Ring in Silence: New and Selected Poems *(Dedalus, 2008), a bilingual volume.*

from THE SPENSER SEQUENCE

Seán Lysaght

Too many kernes in the ranks.

The following extracts are from a narrative poem on the life of Edmund Spenser. Spenser's case was of interest to me for a number of reasons. As a poet, he firmly belongs within English literary tradition where his reputation was scarcely darkened by the other main strand of his life: his career as a colonial administrator and planter in Elizabethan Ireland. If earlier commentators allowed Ireland into the story of Spenser's life at all it was as a picturesque and untroubled romantic landscape of mountains and rivers in north Munster. From my own upbringing in this area I knew the scenic appeal of Aherlow and the Galtee range, but I was brought up to approach the period culturally from the Gaelic side, that of the Earl of Desmond and his allies, who feature in Spenserian allegory as a Cyclopean ogre. To me in my inherited attitudes the Elizabethan conquerors and head-hunters among whom Spenser worked were just as alien. And yet the extent of Spenser's references to his Irish locality, his at-homeness for a few brief years as a planter in Ireland and his centrality as an influence for Yeats suggested to me that some imaginative space has to found for Spenser as an "Irish" writer however problematic that might appear. The editors of the original *Field Day Anthology* and Spenser's many post-colonial commentators have already accorded him such a space in the historical record. Would it be possible for poetry to do the same in the imaginative field?

The first section here describes the English forces under Lord Grey de Wilton in 1580, the year Spenser went to Ireland as Grey's secretary. The second is an attempt to imagine the rout of Grey's troops by Fiach MacHugh O'Byrne in Glenmalure. Later that year, Spenser was present at Smerwick, when a garrison of Italian and Spanish mercenaries was massacred by troops directed by, among others, Sir Walter Raleigh. "The Golden Fort" refers to that notorious episode. The fourth section, "Kilcolman", describes a party of surveyors preparing for the Munster Plantation, which was planned following Grey's devastating campaign in that province to put down the Desmond Rebellion. In the fifth section, I describe an imagined meeting between Spenser and a representative of Gaelic tradition. The final extract refers to a meeting between Spenser and his neighbour Sir Walter Raleigh who was also

an estate owner or "undertaker" in Munster. Spenser subsequently travelled to
London with Raleigh to arrange for the publication of the first edition of *The
Faerie Queene* (1590).

DUBLIN, 1580

A new army was in town, so the river smiled,
Relaxing its lazy, lascivious face,
Letting its silks fall carelessly to the sea.

It would not be sleeping with the guests
For much longer. Lord Arthur Grey de Wilton
Was here on urgent business

To crop the long manes of rebellion
At the foaming headwaters. Other spray of chaos
Was breaking in Kerry, where the sea thundered

At the Golden Fort, telling insurgents to hurry
And get those fortifications built in time
To withstand the assault that was going to come.

There would be a reckoning, where every man
Should be properly equipped. His squire said to him,
"Sir, they should have given you a better horse.

That old nag does not become your office
As Lord Arthur's Secretary. We must find
You something better." So they crossed

The river to Smithfield. Spenser was shown
A bay mare in a farrier's yard
For two guineas – two guineas!

That was six weeks of his salary!
(Sidney had bought ten of these for Otford!)
Those were all costs that Ireland would have to pay.

And another one and sixpence for a red cross,
That was three shillings for a pair!
One was fixed to the breast of a horseman,

The other was fastened to his jacket's rear.
"Your Honour, it's them new regulations.
Without a red cross I can't let a horse out of here."

LOONS TO HADES

The thousands heading south along the Liffey
Were the largest army seen in living memory
In the red and blue of the crown. It was led by Grey,

In an enormous stream of foot and cavalry,
Who insisted that they had to strike at O'Byrne
To secure the Pale and keep Dublin safe

While the Queen's forces put the rebels down
In Munster. His veterans had wanted to delay,
Because so many had suffered "the gentle correction"

That summer, a fever that attacked the head
And left a man senseless for two or three days.
They said wait, but Grey could not be persuaded.

His grand narrative was under threat already
From the behaviour of the troops in the city.
He had needed, urgently, to get them away

From the brawling taverns and whorehouses –
And what a raggle-taggle assembly they were!
There were far too many kernes in the ranks

For his liking, too many grooms and other hangers-on
Straggling after the main body of soldiers.
He had never imagined such an assortment!

And what were those fires, those columns
Of smoke hazing the distance? Things were happening
Despite his instructions. He challenged his captains:

"What's going on? What are those disturbances?"
"It's the practice in this country, your Honour,
for an army to strike terror as it progresses."

"Who gave the orders to do this?"
"No-one ordered anyone. It just happens.
Some of the men haven't been paid for ages."

THE GOLDEN FORT

On that headland of broken words,
On that outcrop of dying language
A bitter wind blew away a rumour

That Grey had offered them a pardon.
Even the crows that day were dressed for slaughter.
None of their parley in Latin or English

Could alter the fact that the garrison were to die.
With Macworth and Raleigh waiting to begin
The work of systematic butchery,

Grey gave one final nicety to Spenser.
A terrified *bisogno*, on his knees in the field
Was searching desperately for mercy in the eyes

Surrounding him. "Per amor' di Dio, vogliamo tornare
A casa. Questo non è il nostro paese.
Per pietà, per amor' di Dio, salva noi."

"You speak his language, Spenser."
"What do you want me to say?"
Raleigh joked, "I never finished my degree,

So I never did Italian. We need you now
To tell them we're sending them to hell."
The man of words stood in an interval of silence

As harness and weapons settled on the bearers
Of an awful power whose time had come.
Pithily, like one of his *Calendar*'s emblems,

Spenser looked down at the man and said,
"Io, non posso niente per voi."
They had to restrain the miserable *bisogno*

From following him as he turned away.
The poet's word was final. History took a course
No allegory could ever regain, as he later wrote

In his careful and beautiful Italian hand,
"Then putt I in certain bandes, who straight
Fell to execution. There were 600 slayne."

Or, just as neatly, in bookish completion,
The secretary told Lord Grey again
To read Joshua, book six, chapter twenty-one:

And they utterly destroyed all that was in the city,
Both man and woman, young and old,
And ox, and sheep, and ass, with the edge of the sword.

KILCOLMAN

The surveyor's party was making steady progress
South of Ballyhoura in north county Cork.
They were going to stop for the night at Kilcolman

When the axle of one of the waggons broke
In a muddy way. Robyns cursed
The driver for the delay – "Get it sorted, man!

And meet us at the castle!" Spenser stayed back
With one of the assistants while a pole was cut
And fitted under the wagon. He was nervous for the documents

They were carrying: maps, diagrams and patents
For the escheated lands. Kilcolman was to be
Another seignory of four thousand acres.

The secretary watched the driver lying out
On the ground to fix two pins
To the new axle, with no regard for his clothes.

He chatted with the assistant, who asked
If he would be getting land in the plantation.
"I have no training for this. They never taught us

Farming at Cambridge, but who knows!"
At that the man on the ground looked up and said,
"You're the one wearing the good hose."

THE MAN FROM CASTLEPOOK

A passable interior lit from a mullioned window.
The gleam of seasoned oak, a figure seated
At a large table covered with paperwork.

A servant announced a visitor. "What's his name?"
"Master, he said something in Irish,
A name I could not comprehend."

Spenser looked weary, he said, "Admit him."
But then the room had already darkened,
As if a bear had strayed into the house.

This animal stood there waiting.
It eyed Spenser from great hairy brows.
You might have said a savage creature

If not for the faded red trews,
The gilded jacket and saffron tunic.
The shaggy blue of its mantle,

With a furred collar at the neck
Gave this visitor a most fantastic
Appearance, as of a woodland god.

Spenser thought he was looking at the feet
Of Faunus, but this man was shod.
"I'm your neighbour, from Castlepook,"

He said, with deliberate enunciation,
Offering a hand which Spenser took.
It was strangely clammy, almost weak,

And not the iron grip he expected.
"You'll never make a go of it here," he said.
"Emma, bring us some posset," said Spenser

And motioned the man to sit down.
"Lord Roche said he would send his chronicler."
"My kind have lived here for generations,

Generations, before the Tudor crown
Was ever heard of. We know about plantation.
It was always a job to tie these people down

To farms and territories. We tried it
With the people here. Whatever we taught
Could never keep them from their rites."

"What rites?" "Oh, wanderings in the hills,
To pluck fraocháns in autumn.
Strange fires in Kirrywhirrhy,

They'd be gone for a long time in February —"
"But these people are all gone!
This is a settlement with Englishmen!"

Spenser was irritated. "They're not gone,"
Said his visitor. "They've only changed form.
They say they can alter themselves

In these places, you can tell from their faces
They have spent time as wolves
Roaming the bogs and the waste places.

Why do you think they dug up the dead
To eat them during the late wars?
They were only going back to their nature."

Spenser was furious, he had had
Enough of this man, he could take no more.
"You can't dupe me with this imposture!"

He said, shaking, pointing to the door.
"Be on your way now and tell your master
Not to be threatening his neighbour

With these fantasies. Get out of this house!"
The man from Castlepook got up and turned
To show the great pile of his mantle.

Every tassel of stoat- and otter-skin
Hanging from his collar was an affront
To Spenser, the mercer's son from London,

And Her Majesty's Statutes of Apparel.
Spenser followed the incurable fool
As he shuffled back down the road

And made sure he vanished back into the wood
Before taking the drink that was now cool.
He knew he had dismissed the figure of Ovid.

THE SHEPHERD OF THE OCEAN

"Off with his head! Off with his head!"
Said the parrot, when Raleigh entered the room.
Emma had gone back to England. It was Joan,

Joan Ní Callaghan, his Irish housemaid
Who had taught the parrot this English.
"Ah, Spenser, you're a poet, not a lord.

This plantation is costing me a fortune,
It's a massive drain on my investments –
How are you going to come up with the goods?"

"I know. I know," said Spenser. "They said
These lands would be unencumbered,
But I've a boycott to contend with.

My friend Taidhg Ollamh, he lost a bullock
To Roche's men because he put me up
On my way home from the sessions at Limerick.

I'm losing too much time to these disputes,
They're keeping from my rent books."
"Rent books! But what about the poem?"

Said the other. "It's time you published."
"I've only done three books out of twelve so far,
It's going to take me years to finish."

"No, no," said Raleigh. "We'll print what you have.
Let the world know, the rest can wait
Until you decide what to do with the estate.

Now read me some, Edmund,
Sing me part of your great conception."
So Spenser read those lines where Night

Takes Sans Joy to the Underworld in her chariot,
To be cured by the "*far renowmed sonne*
Of great Apollo," Aesculapius, god of medicine.

Afterwards, Raleigh said he was delighted
With Spenser's ability to shape a dark conceit.
His friend smiled and said, "I knew you'd like it."

Seán Lysaght was born in 1957 and grew up in Limerick. He was educated at University College Dublin, where he studied French and English. He has published six collections of poetry and a biography of the naturalist Robert Lloyd Praeger (1865–1953), The Life of a Naturalist *(Four Courts Press, 1998). His recent collections include* The Mouth of a River *(2007), a celebration of the landscape of north Mayo, and a volume of translations from Goethe,* Venetian Epigrams *(2008), both from Gallery Press. He teaches at Galway Mayo Institute of Technology, Castlebar and lives in Westport, Co Mayo.*

DEARGADAOIL I mBÁD FO THOINN
(blúire as úrscéal faoi láimh)

Pádraic Breathnach

Casadh ar ais! Is iomaí maidin ar rith an smaoineamh ceolmhar sin leis.

Fothrom práinneach éigin a thosaigh de thaipeagan a bhain preab dhúiseachta as. An ag brionglóidigh a bhí sé? Bhí a chloigeann ina mheascán mearaí ag an roithleagán.

"Múch é sin!" a deir a bhean go codlatach leis.

Céard go baileach a bhí le múchadh?

Ar an gceannbhord, go díreach féin os cionn a chloiginn, a bhí an clog beag aláraim ach go gcaithfeadh sé a bheith cúramach leis, é a thógáil anuas go haireach ina láimh, mar, má bhí sé beag féin, go bhféadfadh sé titim anuas go héasca san éadan air agus go mbainfeadh na heochracha ar a chúl an tsúil go réidh as. Cé nár ghá a shúile a oscailt lena thógáil anuas — go deimhin féin b'fhearr a gcoinneáil dúnta ar fhaitíos na timpiste — ba ghá a n-oscailt, nó, ar a laghad ar bith, leathshúil le cinntiú gurbh é an cnaipe beag ceart a chas sé de.

"Cas an raidió ar siúl," a deir a bhean.

B'in a bhí le déanamh chuile mhaidin, an t-aláram a chasadh de ach an raidió a chasadh ar siúl láithreach, ar fhaitíos gur ar ais ina gcodladh go sámh a ghabhfaidís beirt arís.

"Taobh leatsa atá an raidió!" a deir Aodh.

A raibh de chnaipí beaga air bhí an raidió chomh hachrannach leis an gclog, ach go raibh sé níos mó, agus, ar an ábhar sin, níos socra ar an gceannbhord. Níor ghá a bhaint anuas, nó súile a oscailt, go fiú 's an leathshúil féin, le cnaipí an raidió a aimsiú; níor ghá d'Aodh ach ligean dá mhéaracha a dhul ag triall ar a bharr ar nós an daill. Agus bhí a fhios aige, ó chleachtadh, gurbh é an dara cnaipe ón deireadh a bhí le brú lena chasadh air mar gurbh é an ceann deiridh ar fad a mhúch; cé go mb'éasca a dhul amú agus go raibh gá i gcónaí lena gcomhaireamh.

"Ó, 'dhiabhail!" a deir Póilín.

"Cén diabhal é féin?" a deir Aodh á spochadh.

"A dhorcha is atá sé!" a deir sí.

"Dorcha i gcónaí atá an diabhal!" a deir seisean.

"Há, há, há! Bhfuil tusa le do chuid gruaige a ní?" a d'fhiafraigh sí. "Bhuel, éirigh go beo má tá!"

"Tá Muireann fós sa gcithfholcadán," a deir Aodh.

Teann diabhlaíochta chas Aodh i dtreo a mhná, neadaigh sé é féin isteach lena colainn teolaí, chuir sé a chiotóg ina timpeall agus d'fháisc i mbarróg í.

"Níl aon am dhó seo anois!" a deir Póilín.

"Ara, tuige nach mbeadh?" a deir seisean á fáisceadh níos dlúithe, agus, idir shúgradh agus dáiríre, chuaigh sé le dul ar a mullach.

"Éirigh as seo!" a deir sise níos boirbe.

"Ní thógfaidh sé i bhfad!" a deir Aodh.

"An as do mheabhair atá tú?" a deir sise.

Thug sí láithreach faoi na héadaí leapan a chaitheamh di ach gur cheap Aodh arís i ndol í.

"Nár dhúirt mé leat go bhfuil Muireann fós sa gcithfholcadán!" a deir sé.

Scread Póilín amach ar Mhuireann agus d'fhógair sí freisin ar Aodh.

"Ar son Dé!" a deir sí leis.

"Ar son Dé," a scread Muireann isteach, "an dtógfaidh sibh go bog é?"

"Tá deifir orm!" a deir a máthair, ach í ag luí isteach arís faoi na héadaí.

Ar son na diabhlaíochta rug Aodh arís uirthi, ag ligean dá ghléas boid leicne maotha a tóna a phriocadh.

"Bhfuil tú as do mheabhair?" a deir Póilín an athuair, le drisín níos mó an t-am seo. "Pé ar bith cén macnas atá ar maidin ort? Táimse ag dul isteach ansin bíodh sise réidh nó ná bíodh!" ar sí ag éirí le fuadar.

"Dia dhár réiteach!" arsa Aodh. "Is beag nár bhris tú mo ghléas le do thóin!"

Chúb Aodh é féin i gcompóirt na háite inar luigh a bhean. Chuala sé Muireann ag casaoid, a máthair ag rá léi go raibh aici éirí níos luaichte, go raibh triúr acu ann agus deifir orthu ar fad.

D'éirigh Aodh, tharraing brístín air agus chuaigh sé faoi dhéin an leithris. Casadh ar Mhuireann é, tuáille i gcocán ar a cuid gruaige fliche, tuáille eile ag folú a colainne.

"Dia dhár réiteach!" ar sí. "Teach na ngealt é an teach seo, siúráilte!"

Ach go raibh Póilín ina suí ar bhabhla an leithris roimhe.

"Dia dhár réiteach," a deir sé, "is fíor do Mhuireann!"

Cár meangaidh a leath ar éadan a mhná.

"Cea nach féidir leat greim a choinneáil scaithín eile air?" ar sí. "Is measa ná bean thú!"

Thosaigh Aodh ag dul ó chois go cois.

"Éirigh as sin!" ar sise.

Rinneadar araon gáire.

"Mura ndéanann tú deifir!" arsa Aodh.

"Mura ndéanaim deifir, céard?" arsa Póilín.

"Deifir!" a deir Aodh arís.

"Coinnigh do mhún sa mbabhla anois agus ná mill an t-urlár!" arsa Póilín.

Nárbh é a bhí dorcha i gcónaí? An seachtú lá d'Eanáir, é ceaptha "fad gabháilín brosna" a bheith tagtha ar an lá. Óna chara Máirtín Cheata a chuala sé an nath sin. "Fad coiscéim coiligh" a bhí aige féin.

"Ciocu a chuala tusa, a Phóilín: 'fad gabháilín brosna' nó 'fad coiscéim coiligh'?" ar sé teann diabhlaíochta.

———

Ag fágáil an tí d'Aodh bhí an tranglam tráchta ag tiomsú cheana féin. Dá mhéad bóithre nua a bhí á dtógáil, dá mhéad leathnú is caoi a bhí á gcur ar sheanbhóithre, bhíodar ar fad á dtachtadh le trácht. Cén chaoi eile a mbeadh sé is a charr féin ag chuile bhocán is dochán?

Stroighin á cur ar phlásóga bána, leacracha á leagan ar fhéar. Smaoinigh sé ar leacracha a chur ar a shráid tosaigh féin, ach nárbh fhada go mbeadh Muireann ag pósadh!

Stroighin, leacracha, droichid thar aibhneacha, tolláin faoi aibhneacha! Na lánaí bus, na raonta rothar, bhíodar sin féin á dtachtadh le carranna! Mé féin ina lár i mo chime mar chách, mar a scríobh an Direánach, arsa Aodh leis féin.

Faoi gur fhág sé a bhaile chomh luath, ámh, ní raibh aon trioblóid ag Aodh áit pháirceála a aimsiú an mhaidin seo ach in achar gearr eile ní bheadh folamh sa chlós ach na spásanna a bhí in áirithe do dhaoine a raibh máchail éigin orthu; agus na spásanna speisialta le haghaidh Mháistreás na Coille agus a complacht.

An *coterie* speisialta sin níor ghá dóibh deifir ar bith a bheith orthu! Ba mhinic a tharraing an phribhléid sin éad agus achrann. Balthazar, agus a cheardchumann, ba mhinic é ar a tháirm! Bean an *hole in one* ag cuidiú go láidir leis. *Hole in One* ag casaoid gur cuireadh teanntú ar a carr sise. Balthazar ag moladh do *Hole in One* go raibh aici a casaoid a chur mar mhír ar chlár cruinnithe. *Hole in One* ag moladh pé carr ar cuireadh teanntú air go gcuirfí an bille go dtí Máistreás na Coille.

I dtaca leis an gCorcaíoch, Alastar Acmhainneach, bhí a chleasaíocht seisean suimiúil: a charr á pháirceáil chuile mhaidin aige chomh cóngarach is a d'fhéad sé do na boic. Súil aige, dá léireodh sé a dhíograis, go mbéarfadh sin toradh fóintiúil dó lá níos faide anonn. Agus rug! Ceapadh ina ollamh é!

Ag coisíocht leis óna charr an mhaidin seo cé d'éirigh amach roimh Aodh ach an fear ceannann céanna sin, Alastar.

"Móradh dhuit ar maidin, a Aoidh!" ar sé.

De bharr na preibe a baineadh as, Alastar a bheith chuige, d'fhéach Aodh ar ais arís ar an gcarr suntasach a raibh Alastar tagtha amach as.

"Go mba hé dhuit, a Alastair! Leatsa an t-áilleagán sin? Bhuel, bhuel, bhuel, fear a bhfuil airgead aige!"

"Níl a fhios agam fé san anois, a Aoidh!"

Cé nár mhórán suime i gcarranna a bhí ag Aodh bhuail smaoineamh i dtobainne é go raibh aige tuilleadh spéise a léiriú i gcarr Alastair óir ba charr nua é agus ba dhuine é Alastar a bhí mórálach as carranna.

"Sid é an chéad charr nua atá feicthe i mbliana agam," arsa Aodh, é ag stopadh ina bhealach agus ag dearcadh siar.

Ní dhearna Alastar ach a shainmheangadh.

"Bhuel, go maire tú é, a Alastair!"

Faoi nach raibh Aodh cinnte cén déanamh cairr a bhí ann, agus nár theastaigh uaidh sin a ligean air d'Alastar, shiúil sé ar ais arís, agus timpeall nó go bhfaca sé an déanamh a bhí scríofa air. *Opel Frontera*. Roth mór breise greamtha go tóstalach dá chúl. É téagrach, ard, cumhachtach. "*Frontera! Four wheel drive?*" ar sé.

Frontera! Ba bhreá an t-ainm é.

"Ionsaí ar chríocha inti sin, a Alastair, a dheartháir! Í sin chomh tréan le *bulldozer!*"

Na busanna turasóireachta a théadh siar thar an teach acu féin fadó, a meabhraíodh d'Aodh. É féin is a mháthair ina seasamh sa tsráid ag breathnú le halltacht ar na busanna údaí. Iad ag samhlú airgid leo seo a bhí sna suíocháin. Siar Dúiche Sheoigheach go dtí an fharraige, a deireadh a mháthair. Na daoine saibhre sin chroithidís a lámha leo. Iadsan ag croitheadh a gcuid lámh ar ais leosan. A mháthair ag rá go mbeidís sin ag caitheamh dinnéir thiar, in óstán galánta, agus go mbeidís ina dhiaidh sin ag tógáil aeir ar an trá. Dúirt sí go mb'aoibhinn léi féin a dhul siar go luath ar maidin, an lá a chaitheamh thiar, agus a theacht aniar arís tráthnóna.

"*SUV!*" arsa Aodh. "An 'C' go mórálach agat uirthi ar chuma ar bith, a Chorcaígh, a mhic!"

Meangadh neafaiseach, mar ó dhea, ar ghnúis Alastair.

"Caithfidh go raibh tú ag feitheamh le breith ar chéad bhradán na bliana? É geafáilte le laethanta agat, is dóigh?"

A mheangadh beag neafaiseach arís ar Alastar.

"Ceithre bliana déag i mbliana atá mo charrsa!" arsa Aodh. "Dáiríre píre, cuma liomsa cén carr ach í a bheith in ann imeacht!"

"Mise mar an gcéanna!" arsa Alastar.

"Mise mar an gcéanna!" Ní raibh sin! D'athraigh Alastar a charr agus a phort de réir an té a raibh sé ag caint leis!

"Imrímse an diabhal ar mo charr," arsa Aodh, "faoi go dtógaim ins chuile chineál bóithrín í!"

"Mise mar an gcéanna," arsa Alastar.

An "mise mar an gcéanna" sin arís! Níl tú ná é, a bhuachaill! Cúram, sin é do shainmharcsa! "Mise mar an gcéanna!" B'fheasach do chlabairí an domhain nár mhar a chéile!

"Chuile chineál bóithrín dhá chaoile!"

"Mise mar an gcéanna!"

"Driseacha, sceacha, clocha géara!"

"Mise mar an gcéanna!"

Ó, a Mhuire Mháthair! A Alastair Acmhainnigh, má théann tusa ar bhóithrín caol cam is i gcarr duine éigin eile é!

"Bhí mé lá thíos i gCluain Eanaigh," a deir Aodh, "agus …"

"Áit álainn," a deir Alastar.

"… agus nár tháinig an tarracóir seo i m'éadan, ualach féir ar a leantóir." Chuir Alastar mar a bheadh strainc phéine air féin.

"Ní raibh bealach ach go dona ag an dá fheithicil ach go mb'é fear an tarracóra ba chliste, nár stop seisean agus nár fhága sé fúmsa mo bhealach a dhéanamh síos thairis."

"Tabhair clisteacht air!" arsa Alastar.

"Céard déarfá mura raibh gob iarainn sa bhféar?" arsa Aodh.

"Ó, a Thiarcais!" arsa Alastar.

"Bhuel, nuair a d'airigh mé an scríobadh!" arsa Aodh.

"Ó, a Thiarcais Dia!" arsa Alastar.

Mhaígh straoisín ar éadan Aodha nuair a smaoinigh sé ar an gcaoi a mbíodh sé ag coinneáil droch-chliathán a chairr ceilte ar leithéidí Alastair.

"Coinneod anois í go dtitfidh sí as a chéile!" ar sé.

"Canathaobh ná coimeádfá?" a deir Alastar.

"Go dtitfidh an tóin aisti!" arsa Aodh.

Ag dul isteach sa choláiste dóibh tharraing Aodh an doras chuige agus sheas sé de leataobh go ligfeadh sé dá leathbhádóir a dhul isteach roimhe. Ach, faoi mar a mheas sé, rinne Alastar comhartha lena chiotóg, ag rá leis-sean a dhul chun tosaigh.

"*Après vous!*" a deir sé.

B'amhlaidh don dara doras.

"*Après vous aussi!*"

Nós seo na ndoirse – cé a shiúlfadh chun tosaigh ar an té eile – ba nós é a chuir Aodh soir, arae, dáiríre píre, ba chleas *pecking order* ag daoine é, dar leis. An té ar éirigh leis an té eile a chur isteach roimhe ba dhóigh leis, ar chaoi éigin, go mba chéimiúla é féin.

Go minic ba gheall le hordú é go siúlfadh an té eile sin chun tosaigh. Cé go mb'fhaide sa choláiste é ná Alastar ghéill Aodh ach ní ghéillfeadh sé go mba léiriú ar shinsearacht ghradaim é. Ach arbh ea? Géilleadh ar bith nár bhua ag an té eile é? Nár mhéadaigh sin ar mhisneach an té ar géilleadh dó? Agus, breathnaigh, nárbh é Alastar Acmhainneach, an crochadóir, a rug an bua mór faoi dheireadh? B'airsean a bronnadh an gradam "ollamh"!

"Pé ar bith é, a Aoidh, nach breá í an aimsir?"

"Don am seo bliana, a Alastair!"

Bhíodar ag dul ag scaradh ó chéile, Alastar go dtína oifig síos siúltán faoi chlé, oifig Aodha ceann ar aghaidh, nó gur stop Alastar i dtobainne.

"Conas athá cúrsaí ar aon nós?" a d'fhiafraigh sé.

"Ó, thar cionn!" arsa Aodh go leathshearbhasach. "Lá chomh breá ní raibh againn a bheith istigh anseo chor ar bith!"

"Go díreach é!" arsa Alastar.

"Bhí againn casadh abhaile aríst!" arsa Aodh.

"Th'anam ón diabhal gur fíor dhuit é!" arsa Alastar.

"Fíor dhuit é!" "Go díreach é!" "Mise mar an gcéanna!" Dheamhan a mbeadh seans ar bith ann go ndéanfadh an tAlastairín Acmhainneach céanna casadh ar ais! Cur i gcéill! Ligean air! Na harduithe céime a raibh súil aigesean leo ní raibh baol ar bith go scaoilfeadh seisean thairis iad ar aon dóigh fhánach!

Casadh ar ais! Is iomaí maidin ar rith an smaoineamh ceolmhar sin le hAodh. Casadh ar ais agus an lá a chaitheamh faoin tor i gCoill Chluain Eanaigh. An comhartha bóthair, ar bhóthar na nduganna, ag fógairt na háite sin, ba é a chuir an smaoineamh sin ina cheann a liachtaí sin uair. Coill Chluain Eanaigh ar mhinic é ag spaisteoireacht inti. Maidin chomh deas, a dúirt sé leis féin, agus an lá álainn a leanfas í, nach mór an peaca go gcaithfí í cuachta in oifig aimrid, ag triall anois is arís ar sheomra ranga le haghaidh ceardlann teangan nár mhóide aon mhac nó iníon léinn a theacht chun freastail uirthi? Lá chomh breá cén fonn éisteachta le ceacht leadránach faoin bhForainm Coibhneasta ná faoin Modh Foshuiteach a bheadh ar aon duine?

A sheanpheata, an Modh Foshuiteach, Aimsir Chaite, á mhúineadh ag Aodh i gcónaí! "Dá gceannaínn cupán tae" chomh maith le "dá gceannóinn cupán tae". É ag spreagadh na mac léinn go gcuirfidís eolas air fiú 's mura mbainfidís aon fheidhm go brách as. É ar a mhíle mhiota ag iarraidh an difríocht eatarthu a spáint ach, déanta na fírinne, an raibh aon difríocht? Ar chur i gcás amháin a bhí ann? Nó mar a deir an ceann eile: *"Would you ever fuck off?"*

É amhlaidh leis an Sean-Tuiseal Tabharthach! "Sa ló", "faoin ngréin, de phreib", "ón gcomharsain"; Aodh á spreagadh an fhoirm sin chomh maith leis an nuafhoirm a bheith acu. Go mb'in an chaoi leis an tSean-Ghaeilge cheart a bheith ag duine, a deireadh sé. An Ghaeilge chréúil chraicneach le brí, mar a deireadh Ó Cadhain! In áit an chróilí, a deireadh sé, in áit an *mish-mash*, in áit na neodrachta! Agus, míle buíochas le Dia, nuair a táladh i gceart air é, bhí an corr-mhac léinn ann arbh é an dea-earra a bhí uaidh!

Ach an mbeadh fonn foghlama mar sin ar oiread is duine, an chéad lá ar ais, uain chomh breá? Mura molfadh sé go dtógfaí an rang amuigh sa gcoill? "Go díreach, a Aoidh", "tagaim leat, a Aoidh", "mise mar an gcéanna, a Aoidh!" Alastar Acmhainneach ag aontú ach nach ndéanfadh beart dá réir sin go deo; ar a laghad ar bith go mbeadh a fhios aige cén chaoi a raibh an ghaoth ag séideadh. Mar a deireann lucht an Bhéarla: *"That fellow always rigs his sails to the provailing wind!"*

Tadhg an Dá Thaobh! Ba é a déarfadh Alastar lena chéad leathbhádóir eile gur ródheireanach ar ais a bhíodar; gur bhréan den bhaile a bhí sé féin; gur ag dúil le struchtúr arís ar a lá a bhí sé.

Ar thréith Chorcaíoch an gliceas sin? Bhí ag duine a bheith discréideach le Corcaígh! Gan scaoileadh leo ach ar theastaigh uait a bheith craobhscaoilte!

"Sílim," arsa Aodh, "go gcuirfead fógra in airde mé a bheith tinn!"

Ach an gcuirfeadh? Ar thada seachas gliogar cainte a bhí riamh aige féin ach oiread?

"*À bientôt!*" a deir Alastar.

"Ab í sin Gaolainn na Laoi?" arsa Aodh.

"Gaolainn Chúil Aodha, a bhuachaill!" a d'fhreagair Alastar. "*À toute à l'heure!*"

Rugadh Pádraic Breathnach i gCo na Gaillimhe i 1942. Is é údar dheich mbailiúchán gearrscéalta é — an ceann is déanaí acu, Ingne Dearga Dheaideo *(Cló Iar-Chonnachta, 2005) — dhá úrscéal agus dhá chnuasach béaloidis. D'éirigh sé as a phost ar na mallaibh mar Léachtóir Sinsearach le Gaeilge ag Coláiste Mhuire Gan Smál, Ollscoil Luimnigh. Tá sé ina chónaí i gCathair Luimnigh.*

DÁNTA

Biddy Jenkinson

MISE AGUS MO MHADRA

Mo mhadra cróga
faoi mo chathaoir,
faoi sceimhle,
a fhios aige
go n-osclófar an doras úd thall
soicind ar bith
agus go nglaofar isteach air
chuig an vet
don "Pí pá pin
sáim thú ansin!"

Ach stop trucail
Dalkey Pigeon Fancy
lasmuigh.
Amach leis an vet agus
chuaigh mé féin agus mo mhadra
ar ár nglúine
ar na suíocháin cois fuinneoige,
á choimhéad.

Thumadh fear na gcolúr
a dhá láimh i mbéal cáis
go mbeireadh sé colúr amach as.
D'fhilleadh sé an colúr go healaíonta
ina lámh chlé.
Le hordóg agus corrmhéar na láimhe deise
bheireadh sé ar an ngob agus shíneadh sé
an muineál, an colúr ag faiteadh súl le neirbhís.

Chuireadh an Vet ordóg
ar an muineál sínte.

Thumadh sé snáthaid ann.
Chaitheadh an t-úinéir an colúr san aer
le síneadh grástúil dá lámh
taobh thiar dá dhroim,
a lámh dheas, cheana féin,
ar thóir cholúir eile.

Gluaiseacht rithimiúil rialta.
Comhrá éigin ar siúl,
nár chuala mé.
Mo mhadra ag geonaíl
le sceitimín.

Bhíos ag comhaireamh.
… caoga dó, caoga trí, caoga ceathair.
Cuireadh colúr a caoga cúig ar ais ina chás,
seachas é scaoileadh chun na spéire.
Ansin, shín an vet a lámh dheas amach.
Leag fear na gcolúr a smig air.
Rug an vet ar a shrón.
Chuir sé ordóg na láimhe clé
ar a chúilfhéith.
Agus phóg sé faoi bhun na cluaise é.

Ní foláir nó go rabhas ag brionglóidigh.
Téann samhailt i bhfeidhm ar shúile
uaireanta.
Ach d'éist mé go cúramach agus an bille á íoc
ag fear na gcolúr.
"Caoga sé colúr ar dhá euro an ceann, sin céad is a dó euro,
led thoil." arsa an rúnaí. "Agus go raibh maith agat."
"Gura gura gura …" arsa fear na gcolúr,
é ag siúl amach tharainn
siúl coilichín earraigh faoi,
é ag corrachú go postúil.

"Ní baol duit," arsa mise lem mhadra
agus é á tharraingt isteach san íoclann agam.

"Ní choinneoidh instealladh ar bith
fírinne agus fíricí
idirscartha.
Frídín gan náire samhlaíocht."

D'eitlíomar in airde ar an mbord,
"Colúir a caoga seacht is a caoga hocht
anseo i láthair, a vet.
Póg an duine dúinn, led thoil!"

IARCHOMHARC

Cuirim cluas orm féin
le fáinne an lae
féachaint an luafadh duine éigin
— nár rugadh fós —
dán dem chuid liom.
Le taithneamh, de rogha,
ach ba chuma liom
— i gcead dó —
dá mba dubholc dom bhéarsaí
a thug teilgean dá ghlór.

Mar go bhfuilim i ngrá
le file a chuaigh romham,
agus níl aon fhianaise agam
nach grá éagmaiseach é.

Is údar dánta, drámaí, gearrscéalta agus ficsean do pháistí í Biddy Jenkinson. Ar na foilseacháin is déanaí léi tá imleabhar dánta, Oíche Bhealtaine *(The Eve of May Day, 2005) agus bailiúchán scéalta bleachtaireachta,* Duinnín Bleachtaire *(Ó Duinnín the Detective, 2005) — á bhfoilsiú ag Coiscéim, a fhoilseoidh fosta níos moille i mbliana bailiúchán eile ina mbeidh Ó Duinnín (arbh fhearr aithne air mar fhoclóirí) ina bhleachtaire.*

AS AN LIOS

Brighid Ní Mhóráin

PLUAIS BHRÓNACH NA STAIRE

Tá bráid na Boirne feistithe
i bhfaisean taibhseach na Bealtaine
a veist bhainne bó bleacht á lí ag beacha
is a cóitín sabhaircíní lena cneas
ag baint na meabhrach
des na faidhleacáin ghorma.
Séideann feothain ó Bhá na Gaillimhe
ag cíoradh a moinge glébhuí,
ag tabhairt cuiridh don ngabhar fiáin
dul ag tochailt ina scailpeanna diamhra
ar thóir goblaigh atá chomh glas
le smaragaid an Domhain Toir.

Seachain thú féin, a dhuine,
ná cuireadh sí cluain ort
nó raghair ar bhior do chinn i bpoll
ina bhfuil lorg fuilteach na staire
go mbeir ag titim leat riamh is choíche
siar trís na cianta nó go dtiocfair
ar an mball inar dhein Brónach,
Cailleach Chinn Boirne,
a tairngreacht don bhflaith,
Donnchadh Ó Briain is dá shlua,
sarar gheal maidin an chatha.
Bhíodar ar a slí go Corcom Rua,
i mbliain an Tiarna, trí chéad déag,
daichead a seacht nuair a thaibhsigh
an Bhadhbh dóibh, í ag ní
scata corp, ceann is ball beatha
i loch craorag fola. A ráite béil:
"Leatsa is led' laochra na ceanna.

Ní thiocfaidh fear inste scéil
Slán ó ghleo na mainistreach."

Ráinig mar a thuar an Chailleach.
D'ibh an chloch cró na bhfear
agus tá an ghearb i bhfolach
fé úrghlaise an choill
is fé shaifirí na gceadharlach.

POC SÍ

Bhíos mar shliotar acu aréir –
buille anso agus sonc ansúd.
Ní raibh féithleog ná matán
ná raibh leonta, stractha
tar éis a mbabhta spóirt.
I ndiaidh an hurlamaboic
bhí gach alt is teannán
ag gíoscán ar nós seangheata
is gach aon och! och! ó!
as úlla mo choirp
ó bheith ar na camáin acu
am chaitheamh gan sos,
ó cheann ceann an leasa.

Ba chuma liom fén leadhbadh
dá mb' é an ceol sí,
port nua púcaí nó aisling gheal
a bheadh dá bharr agam.
Agus mé ar an dé deiridh
bhéiceas ar liúdramán amháin:
Cad é an chloch sa mhuinirtle
atá agaibh im choinne?
Níor bhaineas aon sceach gheal
ná níor réabas lios riamh.

Arsa an liúdramán luathbhéalach:
Is fíor duit nár bhainis sceach gheal
ná níor réabais lios riamh
ná ní toisc gur chuais
ar chosán shlí chaoil an alltair
tamall ó shin led dhuine muinteartha
agus nuair a lean sé siúd ar aghaidh,
gur chasais. Ní chuige sin atáimid
mar nach raibh do lá tagtha.

Is toisc gur ciotóg fíorchiotach tú
bhí ad iompar féin ar nós deasóg
is ag ceilt do nádúir thuathail
ó bhís id leanbh cheithre mbliana
agus leanfaimid leis an ngreadadh
nó go ndéanfair aithrí id bhréagnós
is go n-eiseoir lomchnámh na fírinne
i véarsa mórtasach ó intinn,
ó chroí is ó láimh fíorchiotóige.

——

Taobh dheas na hintinne mar stiúir
ar láimh mo phabhair agus mo bhua!
Feasta is foinse m'inspioráide thú!
Is tú mo chiotóg dhearg abú!

In Áth Trasna, Co Chorcaí, a rugadh Brighid Ní Mhóráin. Is í údar chúig chnuasach filíochta í, an ceann ba dhéanaí acu Síolta an Iomais *(Clo Iar-Chonnachta, 2006). Is téacs a mholtar é a saothar próis,* Thiar Sa Mhainistir Atá An Ghaolainn Bhreá *(An Sagart, 1997), don chúrsa Gaeilge ag Coláiste Ollscoile Chorcaí. I gCo Chiarraí a chónaíonn sí.*

DÁN

Ceaití Ní Bheildiúin

TÓRRAMH NA BPEIDHLEACÁN

Chonac cosa fén ngrian um thráthnóna
ag tuar na doininne chugainn.
Leáigh sí ina líne bhuí ag bun na spéire.
Druidim i dtreo an dé-sholais

Seasann m'aghaidh dhaonna ina scáth
idir m'anam agus na flaithis,
mé ar crith le sceitimíní is le sceimhle
ar imeall na faille diamhaire seo.

Bainim díom na buataisí
ag laghdú mo cheangail is m'ualaigh.
imtharraingt na cruinne am choimeád anso
in ainneoin chleitearnach na gaoithe im ghúna.

Ach spréann péire peidhleacán a n-eití
ag eitilt uaim síos thar faill. Péire!
Dhá anam. Creideann na *Menomini*
i ngach neach daonna go maireann

anam céille agus anam croí.
B'é creideamh na nGael fadó áfach
go raibh trí anam ionainn: anam na hanála,
anam na mothála agus anam na síoraíochta.

Ach más anam é peidhleacán
cad a tharlaíonn nuair a chailltear ceann?
Tá péire le hadhlacadh againn anocht,
dhá anam imithe ar shlí na fírinne.

Cuimhním ar Éadaoin ina cló *mariposa*
eisint na háilleachta cruinnithe ar sciatháin.
"Má chíonn sibhse í ar bhur slí
abair léi go maireann sí fós i mbéal na nGael.

"Codail anocht i bhur n-aibídí breaca
i bhur gcónraí inár ngairdín.
Tá na sluaite ag triall ar bhur dtórramh.
Is agaibh atá rún na bhfirmimintí."

THE BUTTERFLIES' WAKE

I'm drawn to the fading light of a sun
melted yellow in a line across the horizon,
a sun which earlier stretched its rays like paws
to the ground, forecasting bad weather.

On a formidable cliff's edge, my human face
stands between my soul and eternity.
I tremble on the precipice
in excitement and in terror.

I remove my boots, undo my ties
and lighten my burden.
Earth's gravity is what keeps me here
in spite of the wind flapping at my dress.

Two butterflies flutter from me. I'm aghast
as they beat their way down the cliff.
A pair. Two souls. The *Menomini*
believe that each human possesses

a soul for the intellect plus one for the heart.
The Gaels of old believed we house
three souls, that of breath,
that of emotion and an eternal spirit.

But if a butterfly is in fact a soul
what happens to a dead one?
Tonight we wake a pair,
two souls on the path of truth.

I recall Éadaoin in *mariposa* form,
the essence of beauty gathered on wings.
"Should you glimpse her along your path
mention that she survives on Irish lips.

"Repose tonight in your spotted attire
in coffins laid out in our garden.
Many will attend your wake.
You keep the secrets of the heavens."

Born in 1958 in Rush, Co Dublin, Ceaití Ní Bheildiúin studied at Trinity College, Dublin. She has published two volumes of poetry, An Teoraínn Bheo *(The Shifting Boundary) and* Púca Gan Dealramh *(The Mischievous Pooka, 2010), both from Coiscéim. She moved to the Kerry Gaeltacht, Corca Dhuibhne, seven years ago and continues to live there.*

DÉANAIGÍ É SEO …

Micheál Ó Conghaile

*Céard a déarfadh muid inniu? Ní déarfadh muid tada. Guibh orainn,
Áiméan.*

Pearsana

SÉIPLÍNEACH	Timpeall tríocha bliain d'aois
MOINSÍNEOIR	Timpeall seasca bliain d'aois
EASPAG	Timpeall seasca bliain d'aois
SUÍOMH/AM	Éire ár linne

An Seit

*Seomra dorcha duairc rúnda in íoslach phálas an Easpaig. Cuma scáfar dhiamhair
air. I lár an tseomra tá seandeasc adhmaid oifige, ar a bhfuil slám seanchomhad i
bhfillteáin. Ar dheis tá seanchófra dubh atá dúnta. Tá tarraiceáin ann a bhfuil glais
ar chuid acu. Roinnt seanchathaoireacha ar fud na háite, ceann acu briste agus tite
ar a taobh. An chuma ar gach ball troscán go bhfuil sé seantuirseach agus thar am a
chaitheamh amach. Tá cuma fhuar mhíchompordach ar an seomra.*

*Ar chúl i lár, tá doras, ar a bhfuil boltaí agus slabhraí, an t-aon doras amach as
an seomra. Ar chúl ar chlé sa gcúinne tá púirín beag ar a bhfuil fuinneog. Leithreas
atá ann ach ní gá go dtuigfí sin ag tús an dráma. Níl aon fhuinneog ar an seomra.
Sa taobh ar dheis tá seastán ar a bhfuil babhal mór ina bhfuil dhá iasc órga ag
snámh timpeall. Tá múchtóir tine ar cheann de na ballaí. Seo an t-aon dá ní ar an
stáitse a bhreathnaíonn as áit sa gcomhthéacs seo. Tá seanchoinnleoir mór ann freisin
ina bhfuil coinneal mhór Chásca ina seasamh.*

Mír a hAon

*Ag tús an dráma bíonn an stáitse ar fad dorcha. Cloistear cór fireann eaglasta ag
canadh iomann naofa Meánaoiseach go bríomhar, sollúnta, síochánta. Maireann an
chantaireacht ar feadh dhá nóiméad nó mar sin – go leor guthanna páirteach ann,
iad ar fad cruinn beacht agus ar aon nóta. Leath bealaigh tríd an iomann cloistear
slua eile guthanna ag paidreoireacht an natha "le smaoineamh, le briathar, le gníomh
is le faillí" arís is arís eile, an nath ag ardú is ag méadú i luas de réir a chéile.*

Go tobann, sa dorchadas, stopann an chantaireacht agus an nath paidreacha. Cloistear an Moinsíneoir agus é ag bualadh buillí láidir ar an Séiplíneach le beilt nó le rópa. É á tharraingt isteach sa seomra is á chiceáil timpeall.

SÉIPLÍNEACH	Éist liom, éist liom.
MOINSÍNEOIR	*(Gáire maslach)* Rófhada atá muid ag éisteacht leat.
SÉIPLÍNEACH	Éist liom go fóill, a deirim, más é do thoil é.
MOINSÍNEOIR	Ní hé mo thoil é. Agus rófhada atá an saol mór is a mháthair ag éisteacht leat, a deirimse.
SÉIPLÍNEACH	Ná gortaigh mé! Tá tú ag dul rófhada anois. *(Déanann sé gaire amháin)* Rófhada. Ná gortaigh chomh mór sin mé.
MOINSÍNEOIR	Ní ghortóidh! Ní bhacfaidh muid le tú a ghortú. Maróidh muid díreach thú, gan tú a ghortú.

Cloistear an Séiplíneach agus é á tharraingt féin trasna an urláir nó ag iarraidh éalú nó go mbíonn sé gar do thosach an stáitse ar chlé. Bíonn scáthanna na beirte le feiceáil sa dorchadas ar éigean. Go tobann lastar na soilse go hiomlán. Feiceann muid an Séiplíneach agus é caite faoi ina scraith ar an urlár, a lámha ceangaillte ar a chúl, agus púicín air. Tá lúb ina chorp, agus a chloigeann aníos mar go bhfuil an Moinsíneoir, atá díreach ina sheasamh os a chionn tar éis cic a thabhairt sa mbolg dó. Tá gearrthacha agus fuil ar an Séiplíneach agus tá a chuid éadaigh leathstiallta de ach tá an coiléar fós air agus é ag sliobarna amach ar a léine dhubh. Tá a chuid muinchillí craptha suas ag an Moinsíneoir mar a bheadh ag fear oibre. Bíonn siad beirt ag análú go trom, nó iad beagnach as anáil agus bíonn an Moinsíneoir ag diúl milséan (bullseye) i rith a chuid cainte ag an tús.

SÉIPLÍNEACH	Muid! *(Sos an-ghearr)* Sibh! An bhfuil mórán eile? Ah? Cá bhfuil siad?
MOINSÍNEOIR	Ó! Dá n-inseoinn an méid sin duit, bheadh a fhios agat é, nach mbeadh a fhios? Is fírinneach foighneach an scéalaí í an aimsir.

Stialann an Moinsíneoir dó an púicín go sásta. Sos gearr. Iad beirt ag tarraingt a n-anála. Tagann meangadh beag bídeach ar aghaidh an tSéiplínigh. Féachann sé timpeall ansin go cúthalach amhail is dá mbeadh faitíos air gach soicind go bhfaigheadh sé buille eile. Bíonn a shúile ag caochadh leis an solas i dtosach. Cuimlíonn an Moinsíneoir an t-allas dá bhaithis féin lena bhois is lena stoil. Nuair a fheiceann an Séiplíneach i gceart cá bhfuil sé tagann crith air, mar a bheadh panic attack ag teacht air.

SÉIPLÍNEACH	Cá bhfuil mé? Cá bhfuil mé anois, a Mhoinsíneoir? Cén áit sa diabhal?
MOINSÍNEOIR	Anseo, a Athair. Anseo.
SÉIPLÍNEACH	Anseo!
MOINSÍNEOIR	Sea, tá tú anseo, anois.
SÉIPLÍNEACH	Anseo?
MOINSÍNEOIR	Sea, sea, tá tú díreach anseo. Anseo! Níor cheap tú gur thuas ansin nó thall ansiúd nó in áit eicínt eile a bhí tú, a leibide.

Tugann sé cicín don Séiplíneach a bhaineann scread bheag as.

SÉIPLÍNEACH	(*Go searbhasach*) Go raibh maith agat, a Mhoinsíneoir, ach is cinnte nach raibh a fhios agam féin go raibh mé anseo.
MOINSÍNEOIR	Bhuel, tá a fhios agat anois é. Nach mbeadh a fhios ag páiste *mental* an méid sin? (*Suíonn sé síos ar chathaoir, é traochta*) Agus ní dhéanfaidh tú dearmad go deo aríst air ach oiread!
SÉIPLÍNEACH	(*I nguth oifigiúil mar dhea*) Tá an-bhrón orm a bheith anseo i láthair. (*Sos. Ina ghuth féin go pianmhar*) Ach cén áit sa mí-ádh é seo? Cén áit? Inis dom.
MOINSÍNEOIR	(*I nguth níos séimhe*) Ní insítear do do leithéid. Faigheann siad amach in am tráth.
SÉIPLÍNEACH	Faigheann?
MOINSÍNEOIR	Foghlaimíonn siad.
SÉIPLÍNEACH	Foghlaimíonn?
MOINSÍNEOIR	Múineann an saol iad, agus aitheanta Dé.
SÉIPLÍNEACH	Do aitheanta Dé, is dóigh! Agus is tusa atá ag dul do mo mhúineadh an tú? Níl ionat ach bulaí. Bodach mór bradach de bhulaí.

Éiríonn an Moinsíneoir le racht feirge agus tosaíonn á chiceáil agus ag tarraingt air leis an mbeilt. Bíonn an Séiplíneach ag lúbadh ina chnap ar an urlár ag iarraidh é féin a chosaint uaidh. Seasann an Moinsíneoir os a chionn. Bíonn an Séiplíneach i bpian agus é ag osnaíl go ciúin. Sos.

MOINSÍNEOIR	Ar ghortaigh sé sin thú? (*Sos*) Ah? (*É ag fanacht le freagra*) Ar ghortaigh sé sin thú, a deirim? (*Tugann sé cic eile dó*

agus ligeann an Séiplíneach sian as) Ah? A Shéiplínigh suarach símplí! Freagair mé nuair a chuirim ceist ort is 'spáin' do chuid ómóis! Ar ghortaigh sé sin thú?

SÉIPLÍNEACH Ghortaigh. Sea. Ghortaigh.

MOINSÍNEOIR Ha ha ha. Sin a cheap mé.

SÉIPLÍNEACH Sin a cheap tú?

MOINSÍNEOIR Sea, sin a cheap é. Mar go raibh tú ag screadach is ag sianaíl. Bhí tú ag screadach is ag sianaíl ar nós páiste mór a bheadh ag fáil drochíde, is nach dtuigfeadh cén fáth. An dtuigeann tú? Is ní bhíonn daoine ag screadach is ag sianaíl ach amháin nuair a bhíonn pian orthu.

SÉIPLÍNEACH Seachas cailíní óga.

MOINSÍNEOIR Cailíní óga?

SÉIPLÍNEACH Sea. Bíonn cailíní óga ag screadach is ag sianaíl is gan pian ar bith orthu.

MOINSÍNEOIR Bíonn?

SÉIPLÍNEACH Bíonn. Nuair a bhíonn sceitimíní orthu, nuair a fheiceann siad *pop stars* is *film stars*. Agus cuid eile acu nuair a bhíonn siad ag *(Sos)* ag *(Sos)* tá fhios agat.

MOINSÍNEOIR *(Olc air, is é ag tabhairt cic dó le gach focal)* Ní bhaineann cailíní óga linne.

SÉIPLÍNEACH Ach tá sé cruthaithe agamsa go bhfuil tú mícheart aríst, a Mhoinsíneoir. Bíonn daoine ag screadach is ag sianaíl scaití is gan pian ar bith orthu.

MOINSÍNEOIR Bréagadóir.

SÉIPLÍNEACH Ah?

MOINSÍNEOIR Bréagadóir, a deirim.

Tarraingíonn an Moinsíneoir siar a chos cúpla uair agus ligeann air féin go bhfuil sé ar tí dul á chiceáil cúpla babhta. Tosaíonn an Séiplíneach ag screadach.

Anois, an bhfeiceann tú sin? *(Sos)* Ar chiceáil mé thú? Níor chiceáil. Ar chuir mé pian ort? Níor chuir. Ach an raibh tú ag screadach? *(Sos beag)* Bhí. Bhí, bhí, bhí! Agus ní cailín óg thú, ná girseach, ná bean, ná puisbhean, ná fiú seanchailleach mhantach chríonna, ab ea? Is tá tusa freisin ag screadach is ag sianaíl is gan pian dá laghad ort. Anois, cé hé an bréagadóir?

SÉIPLÍNEACH	Ach cheap mé go mbeadh pian orm, go raibh tú ar tí …
MOINSÍNEOIR	Óra, cheap tú, cheap tú, cheap tú! Agus má cheapann tusa rud eicínt ceapann tú gur cheart go mbeadh sé fíor. Sin an fhadhb atá agatsa. (*É ag siúl timpeall an tseomra*) Tú ag screadach is ag sianaíl leat ansin théis nár leag mé barr méire, lann scine ná barr bróige ort. A ainspioraid. Dá gcloisfeadh an boc thuas (*Ag ardú a shúile*) thú.
SÉIPLÍNEACH	An boc thuas?
MOINSÍNEOIR	Ag sianaíl nuair a fheiceann siad *pop stars*.
SÉIPLÍNEACH	Cé hé an boc thuas?
MOINSÍNEOIR	An é gur cheap tú gur *pop star* a bhí ionamsa? Ah? Ní bhreathnaímse an-chosúil le *pop star*, an mbreathnaíonn? Ná le *film star*! An mbreathníonn anois?
SÉIPLÍNEACH	Ní bhreathnaíonn. Breathnaíonn tú níos cosúla le hamhránaí *constipated* sean-nóis a bheadh ag iarraidh Amhrán na Páise a ghabháil. An strus sin atá ar d'éadan.
MOINSÍNEOIR	Strus?
SÉIPLINEACH	Sea! Is na strainceanna a chuireann tú ar do straois.
MOINSÍNEOIR	(*Tugann sé cic dó*) Mar gheall ortsa. Nach deas an feic thíos ansin thú? (*Gáire íseal. Faoina anáil*) Ag fágáil na haltóra le linn comaoineach lena mhún a dhéanamh.
SÉIPLÍNEACH	Ah?!
MOINSÍNEOIR	Shhh. Shhhh. Tada, tada a deirim. Dún suas.
SEIPLÍNEACH	Ach cá bhfuil mé? Cá bhfuil mé? Inis dom.
MOINSÍNEOIR	(*Suíonn sé síos*) Inseoidh mé uair amháin eile duit. Tá tú ansin san áit ina bhfuil tú. Díreach cosúil liomsa. Tá mise san áit ina bhfuil mé féin. Is féach go bhfuil an bheirt againn san áit chéanna.
SÉIPLÍNEACH	Faraor …
MOINSÍNEOIR	Ach níl. (*Ag éirí is ag siúl timpeall go húdarásach*) Níl an bheirt againn san áit chéanna. Féach tusa. (*Sos*) Féach mise. (*Ag breathnu síos air go húdarásach*) Níl ann ach go bhfuil muid sa seomra céanna. Taobh istigh de na ballaí céanna. Sin an méid. Ach ós rud é go bhfuil a fhios agamsa go maith cá bhfuil mé agus nach bhfuil tuairim dá laghad

agatsa agus ós rud é gur féidir liomsa glanadh liom amach as seo nóiméad ar bith, nuair atá ortsa fanacht sáinnithe anseo choíche, bhuel is féidir a rá le cinnteacht an tsaoil eile nach bhfuil muid san áit chéanna beag ná mór.

SÉIPLÍNEACH   (*Sos*) Tú críochnaithe?

MOINSÍNEOIR   Tusa atá críochnaithe.

SÉIPLÍNEACH   Nach agat atá an bharúil dhuit féin, ós rud é gur moinsíneoir thú. (*Trína fhiacla*) Ach ní bheidh tú i d'easpag choíche.

MOINSÍNEOIR   (*Olc air*) Dún do bhéal ar a chéile. (*Go searbhasach*) An Dia beag, mór le rá! An scoth. Togha agus rogha an phobail. Bhuel, céard atá le rá anois agat?

SÉIPLÍNEACH   Tada.

MOINSÍNEOIR   Tada? Nach bhfuil tada le rá agat le thú féin a chosaint?

SÉIPLÍNEACH   A chosaint ar chéard? Ortsa?

MOINSÍNEOIR   Ó, nach tú atá diabhaltaí dúr! Agus a bhfuil curtha i do leith! Fan go dtiocfaidh sé.

SÉIPLINEACH   Ah?

MOINSÍNEOIR   Fan go dtiocfaidh sé féin.

SÉIPLÍNEACH   Cé é féin? Críost?

MOINSÍNEOIR   (*Gáire*) Ionadaí Dé ar thalamh, a leibide!

SÉIPLINEACH   Nach ionadaithe de chuid Dé muid ar fad?

MOINSÍNEOIR   Bhuel, i gcead duit anois tá cuid againn níos ionadaithe agus níos tábhachtaí ná a chéile, bíodh a fhios agat! An gceapann tú gur le haghaidh an chraic a tugadh isteach anseo thú, an gceapann? Nílimse ach ag leanacht orduithe.

SÉIPLÍNEACH   Orduithe do chuid brionglóidí brúidiúla.

MOINSÍNEOIR   (*Sos. Crith beag ina ghlór*) Ní raibh aon mheas ariamh agat orm?

SÉIPLÍNEACH   Ní raibh aon mheas agat féin ort féin, gan bacadh le meas a bheith ag daoine eile ort. Is tá sé mall anois agat. Rud é meas a shaothraítear. Agus ar aon nós bhí meas agam ort: meas muice. Meas an diabhail ar uisce coisricthe. Agus rud eile …

Buaileann teileafón a bhaineann geit as an mbeirt acu, agus leanann ar aghaidh ag bualadh.

Nach bhfuil tú chun é sin a fhreagairt?

MOINSÍNEOIR Ní dom é.

SÉIPLÍNEACH Cá bhfios duit?

MOINSÍNEOIR Dó féin an glaoch sin. Ní hé seo m'áras-sa.

SÉIPLÍNEACH Nach bhféadfá é a fhreagairt dó agus gan muid a bheith bodhraithe aige.

MOINSÍNEOIR D'fhéadfadh dá gcloisfinn é, ach níor chuala mé é!

SÉIPLÍNEACH Is nach gcloiseann tú anois é? Tá sé ag bualadh fós.

MOINSÍNEOIR Ní chloisim! Ná tusa ach oiread liom. (*Stopann an teileafón. Sos*) Anois an gcloiseann tú é?

SÉIPLÍNEACH B'fhéidir go raibh an glaoch sin tábhachtach. Glaoch ola?

MOINSÍNEOIR Dhá b'fhéidir nach raibh. Má bhíonn glaofaidh sé aríst.

SÉIPLÍNEACH Sé? Nach mb'fhéidir gur sí a bhí ann?

MOINSÍNEOIR Sí! Bean sí, taibhse nó taise? B'fhéidir nach raibh duine ar bith ann.

SÉIPLÍNEACH Dia a bhí ann mar sin.

MOINSÍNEOIR (*Gáire*) Ag glaoch ortsa, is dóigh. Dia ag glaoch ortsa. Cinnte. Cé eile ag a mbeadh a fhios go bhfuil tú anseo? Diabhal duine.

SÉIPLÍNEACH Cuireann sé glaoch orm uair sa tseachtain, ar an bhfón póca.

MOINSÍNEOIR Cuireann go deimhin!

SÉIPLÍNEACH Agus tá mé ag súil le glaoch inniu uaidh.

MOINSÍNEOIR (*Gáire mór*) Bhuel, ní shílim go gcuirfidh sé glaoch inniu ort, cé gurb é seo an lá is géire a dteastódh a chúnamh uait. Glaoch de chineál eile a chuirfeas sé inniu ort.

SÉIPLÍNEACH Seafóid.

MOINSÍNEOIR Seafóid, ab ea? Ní bheidh móran seafóide ar ball agat ach a dtiocfaidh sé.

SÉIPLÍNEACH Nuair, nuair, nuair! Níl a leithéid ann *so* scaoil liom anois. Tá do dhóthain drochíde tugtha inniu agat dom.

MOINSÍNEOIR Fan socair.

SÉIPLÍNEACH Fan, fan, fan! Nach bhfuil muid ar fad sách fada ag fanacht?

MOINSÍNEOIR Ciúnas! Ciúnas! Anois. Nach gcloiseann tú anois é?

Sos. Gan tada le cloisteáil.

SÉIPLÍNEACH Ní chloisimse tada.

MOINSÍNEOIR   Mar go bhfuil tú bodhar dá leithéid agus mar nár theastaigh uaitse é a chloisteáil ariamh!

Anois cloistear torann taobh amuigh. Seasann an Moinsíneoir suas díreach dá ullmhú féin. Cloistear iomann naofa sa gcúlra, é ag ardú de réir a chéile. Osclaíonn an doras agus tagann an tEaspag isteach go grástúil, clóca an Easpaig síos go rúitíní air, an cáibín beag corcra ar chúl a chinn, a phortús i lámh amháin is a bhachall sa lámh eile. Bíonn sé ag caitheamh spéacláirí agus ní bhíonn sé glanbhearrtha. Féachann sé ar an Moinsíneoir. Geit bainte as an Séiplíneach nuair a fheiceann sé an tEaspag ionas go ndéanann sé staic.

EASPAG   (*Leis an Moinsíneoir*) Móire dhuit ar maidin.
MOINSÍNEOIR   A Thiarna Easpaig.

Téann an Moinsíneoir ina threo, umhlaíonn, téann sé ar a leathghlúin agus pógann fáinne an Easpaig. Féachann an tEaspag ar an Séiplíneach agus nuair is léir nach bhfuil an Séiplíneach in ann corraí téann an tEaspag ina threo, íslíonn a lámh ionas gur féidir leis an Séiplíneach an fáinne a phógadh, gan an tEaspag ag féachaint ar an Séiplíneach ach sa treo eile. Téann an tEaspag trasna an stáitse ansin agus lasann sé an choinneal, ag déanamh neamhshuim iomlán de chás an tSéiplínigh. Ansin deireann an tEaspag is an Moinsíneoir paidir le chéile go fuar, clinicúil amhail is dá mbeadh cleachtadh maith acu air.

EASPAG   In ainm an Athar, agus an Mhic agus an Spioraid Naoimh, Áiméan.

EASPAG &   (*Iad á rá mar rann agus ag féachaint sna súile ar a chéile ar
MOINSÍNEOIR   an bhfocal 'tada'*) Céard a fheicfidh muid inniu? Ní fheicfidh muid tada. Guibh orainn, Áiméan. Céard a chloisfidh muid inniu? Ní chloisfidh muid tada. Guibh orainn, Áiméan. Céard a déarfadh muid inniu? Ní déarfadh muid tada. Guibh orainn, Áiméan. (*Iad á gcoisreacan féin*) In ainm an Athar, agus an Mhic agus an Spioraid Naoimh, Áiméan, Áiméan, Áiméan.

Iompaíonn an tEaspag a chúl leo beirt agus téann anonn chuig na héisc órga atá sa mbabhal. Tógann sé máilín beag as a phóca ina mbíonn beatha agus tosaíonn sé ag beathú na n-iasc, agus é ag caint leis na héisc go cineálta, amháil is dá mbeadh sé ag caint le páistí.

EASPAG	Seo, seo, seo, a leainíní. Seo seo, a stóiríní. (*Sos*) Bainigí taithneamh as an lá breá. Tá an ghrian ag scaladh is ag scoilteadh na gcloch inniu, buíochas mór le Dia uilechumhachtach na Glóire.

Glanann sé a lámha agus beannaíonn sé na héisc ag déanamh comhartha na croise go tostach. Iompaíonn sé thart agus féachann sé ó dhuine go duine.

	Bhuel anois! (*Sos*) Cé atá anseo inniu againn?
SÉIPLÍNEACH	(*Ag impí*) A Thiarna Easpaig! A Thiarna Easpaig! Tú féin atá ann! Ar éigean a d'aithin mé i dtosach thú is gan tú a bheith glanbhearrtha. Lig saor …
EASPAG	Shhh, shhh. Tóg go bog é, tóg go bog anois é, a Shéiplínigh, is coinnigh guaim ort féin.
SÉIPLÍNEACH	Ach cá bhfuilim? Cén áit? Cén áit?
EASPAG	Nach bhfuil a fhios agat go maith cá bhfuil tú? (*Féachann sé ar an Moinsíneoir go hamhrasach. Sos.*) Tá tú in áit mhaith is an-ghar den saol síoraí. Nár inis do shagart paróiste duit?
MOINSÍNEOIR	(*Go himníoch*) Ach, a Thiarna Easpaig …
EASPAG	Stop! Stop! Muna fiú leatsa do chuid miondualgaisí a chomhlíonadh is an dea-scéal a scaipeadh is a bhuanú.
SÉIPLÍNEACH	(*Sos*) Cá bhfuilim? Cá bhfuilim?
EASPAG	Go réidh, go réidh, a Athair. Tá tú anseo. (*Sos*) Anseo liomsa i mo phálás. Mo phálás dorcha draíochta! Bhuel, in íoslach mo pháláis dáiríre. Bhí tú thuas staighre cheana, nach raibh? Anois tá tú thíos staighre. Thíos, thíos ar fad in íochtar.
SÉIPLÍNEACH	Ah? Is cén fáth sa diabhal go bhfuilim tugtha anseo ar an gcaoi seo agus coinnithe mar seo in aghaidh mo thola?
EASPAG	Toil Dé, is ná luaigh ainm Shátain!
SÉIPLÍNEACH	Cé a d'ordaigh anseo mé?
EASPAG	Mise, mise, mise, ar ndóigh. Cé eile? Mise do *bhoss*, nach mé? Nach agamsa atá an chumhacht? (*Sos*) Ar m'ordúsa atá tú anseo. Agus nach bhfuil ar gach sagart, agus go háirithe gach séiplíneach, glacadh le horduithe a easpaig? Nach bhfuil? Mar a gheall tú go humhal sollúnta lá do oirnithe. (*Geit bainte as an Séiplíneach*)

SÉIPLÍNEACH	In ainm Dé!
EASPAG	Ná bíodh olc ort, sin peaca. Is ná húsáid ainm do Dhia gan fáth. Sin peaca eile. Dhá pheaca déanta ansin agat i dtrí fhocailín bheaga!
SÉIPLÍNEACH	Ach ní thuigim céard atá ag tarlú?
EASPAG	(*Go hamhrasach*) Ó, nach dtuigeann anois? Is cé a thuigeann? Tá fadhb againn mar sin. Fadhb mhór chumarsáide!

Sos fada. An triúr acu ag breathnú ó dhuine go duine. Nuair a fhéachann an tEaspag ar an Moinsíneoir cromann an Moinsíneoir síos a cheann mar a bheadh beagán náire air nó rud éigin déanta as an mbealach aige.

	Nach trom é ualach an aineolais. Bhuel, lig dom inseacht duit, a aineolaí. (*Siúlann sé timpeall an tseomra go húdarásach.*) Tá tú anseo anois mar, an ghnáthchúis: tá rudaí curtha i do leith!
SÉIPLÍNEACH	Rudaí?
EASPAG	Deile, deile, sea rudaí. Bhuel, a Athair, tuigim nach raibh tú sa seomra seo cheana. Seomra rúnda é. Seomra spídiúlachta. I ngan fhios den saol srl., srl. (*Sos*) Tá ceann acu in íoslach gach pálás Easpaig a bhfuil aon rath air. Áit a dtugtar daoine dona. Daoine dána. Sagairt. Sagairt óga de ghnáth, ní gá a rá. Áit a múintear ceachtanna.
SÉIPLÍNEACH	Ach, a Easpaig, a Thiarna Easpaig!

Ag iarraidh a lámha a ardú is ag unfairt. Ardaíonn an tEaspag a lámh á stopadh.

EASPAG	Ná labhair nuair atá mé ag caint! Tá sé sin mímhúinte. Éist, agus lig dom críochnú! Nach lena aghaidh sin atá cluasa ar shagairt óga? Le n-éisteacht le húdarás. (*Sos*) Ar ndóigh tagann sé seo ar fad lenár dtraidisiún fada diaga, lenár stair ársa, lenár dtaithí leis na cianta – *inquisitions*, *witch hunts*, damnú is díbirt. Agus céard a deireann siad faoi thraidisiún – níor cheart é a bhriseadh ná é a bhearnú. Tá tú i dtraidisiún fada leanúnach buan beannaithe. Anois, a Athair. Bhí tú chun rud eicínt a rá?

SÉIPLÍNEACH	(*Osnaíl agus análú trom ón Séiplíneach*) Tá mé ag iarraidh dul amach, más é do thoil é.
EASPAG	Amach?
SÉIPLÍNEACH	Sea. Chuig an leithreas, dár ndóigh.
EASPAG	(*Ag síneadh a mhéire i dtreo an leithris*) Thiar sa gcúinne ansin. Is baolach nach é an áit is glaine ar domhan é, agus tá drochbholadh as. (*Féachann sé ar an Moinsíneoir, amhail is dá mbeadh ag cur an drochbholadh ina leith*) Ach sin é an chaoi a mbíonn leithris de ghnáth, nach é? Is níor chóir a bheith ag súil lena mhalairt.
SÉIPLÍNEACH	Go háirithe san áit a mbíonn aer bréan stálaithe, sáinnithe.

Éiríonn an Séiplíneach suas go mall agus bíonn sé imithe chomh fada le doras an leithris nuair a smaoiníonn sé go bhfuil a lámha ceangailte taobh thiar dá dhroim. Iompaíonn sé ar ais ag déanamh iarracht a lámha a ardú.

	Bheadh sé níos éasca …
MOINSÍNEOIR	Nach fada gur chuimhnigh tú ort féin? Nó an plean é seo? (*Sos. Teannas.*)
SÉIPLÍNEACH	(*Ar crith*) Teastaíonn uaim dul chuig an leithreas anois díreach.
EASPAG	(*Sos*) Nach féidir leat é a dhéanamh i do chuid éadaigh?
SÉIPLÍNEACH	Is féidir.
MOINSÍNEOIR	Agus mise a bheith ag glanadh suas ina dhiaidh!
SÉIPLÍNEACH	Ach, a Thiarna Easpaig, páistí beaga a dhéanann rudaí mar sin.
EASPAG	Agus páistí móra, scaití. Agus seanpháistí, a mbíonn a ngreim caillte acu.

Cuireann an tEaspag a lámh taobh istigh dá chlóca agus é ag stánadh ar an Séiplíneach an t-am ar fad agus tarraingíonn sé amach scian mhór fhada ghéar go tobann agus sánn sé sa deasc í le fearg.

Agus sagairt a mbíonn an builín thuas iontu. Duitse! An bhfeiceann tú í sin? Ná triail aon rud seafóideach a dhéanamh anois.

Tógann sé an scian as an deasc agus déanann comhartha léi, leis an Moinsíneoir lámha an tSéiplínigh a scaoileadh. Sacann sé an scian sa deasc arís. Téann an Moinsíneoir chuig an Séiplíneach agus scaoileann an rópa. Téann an Séiplíneach isteach sa leithreas. Bíonn sé ar tí an doras a dhúnadh amach.

EASPAG   Fág oscailte é. (*Leis an Moinsíneoir*) Seas sa doras thusa agus coinnigh súil air. Nach bhfuil a fhios agat nach bhfuil sé le trust?

Cuireann an Moinsíneoir strainc air féin. Osclaíonn an tEaspag a phortús mar a bheadh ar tí dul ag léamh. Sos fada.

SÉIPLÍNEACH   Ní chloisim tada.
                (*Ón taobh amuigh*) Ach, ach níl mé in ann, anois.
EASPAG   Níl tú, ó níl tú! Ag inseacht bréaga dúinn a bhí tú, ab ea? Déan é agus déan anois díreach é!

Tosaíonn an Séiplíneach ag déanamh a mhúin go mall ar dtús agus bíonn an fhuaim le cloisteáil. Iompaíonn an Moinsíneoir a chúl leis nóiméad.

Coinnigh súil air, a deirim, is ná bac le bheith ag breathnú ormsa! Ní fheicfidh tú tada nach bhfaca tú cheana.

Sos, gan le cloisteáil ach an mún ag bualadh an uisce sa leithreas. An Moinsíneoir ina sheasamh go míshuaimhneach sa doras ag breathnú air. An tEaspag ina shuí ar an deasc, ag léamh ach aireach airdeallach san am céanna. Críochnaíonn an Séiplíneach tar éis tamall fada agus bíonn sé ar tí teacht amach as an leithreas.

EASPAG   (*Gan a chloigeann a ardú*) Fluiseáil é. Hygiene!

Fluiseálann an Séiplíneach an leithreas ionas go gcloistear an t-uisce ag titim le fána. Sos. An t-uisce le cloisteáil ag líonadh. Fluiseálann sé ansin arís é. Tagann sé amach. Dúnann an tEaspag a phortús agus déanann sé comhartha leis an Moinsíneoir a lámha a cheangal arís.

SÉIPLÍNEACH   Ach an gá?
EASPAG   Is gá. Fad atá tú beo. (*Sos gearr*) Go dtí ar ball nuair a fháiscfidh muid an paidrín timpeall ar do mhéaracha.

Tugann an Séiplíneach a dhá láimh le chéile os a chomhair chun tosaigh, i gcruth duine a bheadh ag paidreoireacht, in áit iad a chur taobh thiar dá dhroim. Bíonn an Moinsíneoir éiginnte agus féachann sé ar an Easpag ar thóir treorach. Féachann an tEaspag ar an mbeirt acu.

	Taobh thiar de do dhroim!
SÉIPLÍNEACH	Ach, ach, má ligeann sibh dom iad a choinneáil chun tosaigh, beidh mé in ann dul ag an leithreas asam féin an chéad bhabhta eile, ní bheidh mé ag cur isteach ná amach ar éinne agaibh.
EASPAG	Ach má bhíonn cnaipe le scaoileadh agat in áit do mhúin an chéad gheábh eile? Beidh do chac ansin a'd, nach mbeidh. (*Sos*) Ceart go leor mar sin. Ach má thriaileann tú tada! (*Ceanglaíonn an Moinsíneoir a lámha chun tosaigh.*)
SÉIPLÍNEACH	(*Cinéal teann*) Céard a thriailfinn?

Siúlann an tEaspag timpeall air go mall i gciorcal ag stánadh isteach sna súile air. Déanann sé meangadh beag cairdiúil leis. Pógann sé go tobann ar an leiceann é agus siúlann timpeall air arís. Ansin go tobann agus gan aon choinne ag an Séiplíneach leis buaileann an tEaspag dorn isteach sa mbolg air agus titeann an Séiplíneach ina chnap ar an urlár, an anáil bainte de agus é leagtha amach. Fanann sé socair ansin. Déanann an tEaspag comhartha leis an Moinsíneoir teacht go leataobh, chuig an taobh eile den seomra. Cuireann sé liosta tobann ceisteanna gearra air agus freagraíonn an Moinsíneoir iad chomh tobann céanna, iad níos cosúla le liodán paidreacha ná le ceisteanna.

EASPAG	An bhfuil a fhios aige?
MOINSÍNEOIR	Deireann sé nach bhfuil a fhios.
EASPAG	Ní shin an cheist a chuir mé ort. Ach an bhfuil a fhios?
MOINSÍNEOIR	Níl a fhios.
EASPAG	An bhfuair tú aon eolas breise uaidh?
MOINSÍNEOIR	Ní bhfuair.
EASPAG	Tada?
MOINSÍNEOIR	Tada.
EASPAG	Tá tú cinnte gurb é seo a scríobh na litreacha?
MOINSÍNEOIR	Táim.
EASPAG	Céad faoin gcéad?

MOINSÍNEOIR	Nach bhfuil a ainm leo.
EASPAG	Creideann sé i gcónaí?
MOINSÍNEOIR	Creideann.
EASPAG	Ní fhaca aon duine tú á thabhairt anseo?
MOINSÍNEOIR	Ní fhaca.
EASPAG	Níl ach rud amháin le déanamh mar sin.
MOINSÍNEOIR	(*Sos éiginnte*) Níl ach rud amháin le déanamh mar sin.

Fágann an tEaspag ina sheasamh ansin é agus siúlann sé ar ais go dtí an taobh eile den stáitse mar a bhfuil an Séiplíneach fós ina chnap ar an urlár. Fanann sé tamaillín ag breathnú air, mar a bheadh ag súil go ndúiseodh sé suas. Ansin tugann sé cicín beag dó agus tógann buidéal beag uisce coisricthe as a phóca. Doirteann sé braon sa gcloigeann air lena bheochan suas.

EASPAG	An bhfuil tusa beo nó marbh, a chladhaire? (*Sos gearr*) An bhfuil tú ar an saol seo nó ar an saol eile? (*Déanann an Séiplíneach gnúsacht bheag*) Glacaim leis nach ón saol eile a thiocfadh gnúsacht den chineál gíoscánach sin. (*Féachann sé anonn ar an Moinsíneoir.*) Cá bhfuil an fhianaise?
MOINSÍNEOIR	Fianaise?
EASPAG	Sea. An fhianaise bhreise.
MOINSÍNEOIR	Ach!
EASPAG	(*Sos*) Ach? Ah? Nár chuartaigh tú í? Tá tú ag rá liom nár chuartaigh tú fós í? *Cripes Almighty!* Ar aghaidh leat agus cuartaigh í, in ainm dílis Dé. Nach bhféadfadh tada a bheith ar iompar aige.

Seasann an Moinsíneoir os cionn an tSéiplínigh agus bíonn ar tí dul dá chuartú ach stopann sé.

Cé air a bhfuil tú ag breathnú? *Stripe*áil é, agus folmhaigh amach a chuid pócaí láithreach.

Baineann an Moinsíneoir an coiléar den Séiplíneach agus stróiceann sé de a léine. Stopann sé agus féachann ar an Easpag.

Agus a threabhsar! Nach taobh istigh dá dtreabhsair a chuireann daoine rudaí géara contúirteacha i bhfolach?

Baineann an Moinsíneoir de a bhríste go drogallach ionas nach mbíonn fágtha ar an Séiplíneach ach a chuid fobhrístí agus é ar a dhá ghlúin ar an urlár.

Folmhaigh amach a chuid pócaí lom láithreach agus seiceáil.

Cloistear clog an aingil ag bualadh taobh amuigh. Seasann an tEaspag suas de léim go hómósach. Díríonn an Moinsíneoir suas é féin freisin. Féachann siad beirt ar an Séiplíneach, a thuigeann tar éis tamaillín go bhfuil siad ag fanacht leis agus seasann sé suas go mall, an tEaspag beagán mífhoighneach fad is atá sé ag fanacht leis. Ansin deireann siad Teachtaireacht an Aingil go rithimiuil deifreach, an tEaspag ag cur ceann ar an bpaidir agus an Moinsíneoir dá fhreagairt. Tar éis tamaill tosaíonn an Séiplíneach dá fhreagairt freisin. Bíonn clog an aingil le cloisteáil ag bualadh tríd.

EASPAG	Tháinig Aingeal an Tiarna le teachtaireacht chuig Muire.
MOINSÍNEOIR	Agus ghabh sí ón Spiorad Naomh.
EASPAG	Sé do bheatha, a Mhuire …
MOINSÍNEOIR	A Naomh Muire, máthair Dé …
EASPAG	Féach mise Banóglach an Tiarna
SÉIPLÍNEACH & MOINSÍNEOIR	Déantar liom de réir d'fhocail.
EASPAG	Sé do bheatha, a Mhuire …
SÉIPLÍNEACH & MOINSÍNEOIR	A Naomh Muire, máthair Dé …
EASPAG	Agus ghlac an Briathar colainn dhaonna.
SÉIPLÍNEACH & MOINSÍNEOIR	Agus chónaigh sé inár measc.
EASPAG	Sé do bheatha, a Mhuire …
SÉIPLÍNEACH & MOINSÍNEOIR	A Naomh Muire, máthair Dé …
EASPAG	Guigh orainne, a Naomh Muire, máthair Dé.
SÉIPLÍNEACH & MOINSÍNEOIR	Ionas go mb'fhiú sinn gealltanais Chríost a fháil.
EASPAG	Guímis.
TRIÚR LE CHÉILE	Doirt anuas, impímid ort, a Thiarna, do ghrásta inár gcroíthe, ionas sinne a fuair fios trí scéala an Aingil, ar theacht Chríost do Mhac i gcolainn dhaonna, go dtiocfaidh muid, trí luaíocht a pháise agus a chroise,

chun glóire an aiséirí; tríd an gCríost céanna, ár dTiarna. Áiméan. In ainm an Athar agus an Mhic agus an Spioraid Naoimh, Áiméan.

SÉIPLÍNEACH   Áiméan.

An soicind a mbíonn an phaidir críochnaithe filleann an tEaspag agus an Moinsíneoir ar ais chuig an staid ina raibh siad roimh Chlog an Aingil bualadh. Déanann an Séiplíneach amhlaidh tar éis tamaillín tar éis don bheirt eile leid a thabhairt dó trí stánadh air.

EASPAG   (*Leis an Moinsíneoir*) A threabhsar, a deirim! Seiceáil é, is folmhaigh amach a bhfuil sna pócaí.

Suíonn an tEaspag síos ag an deasc agus tosaíonn an Moinsíneoir ag tógáil rudaí amach as na pócaí agus á gcaitheamh ar an deasc ó cheann go chéile. Bíonn an tEaspag á bpiocadh suas agus á n-iniúchadh.

Visa. American Express. Súil agam nach bhfuil aon fhiacha ort, mar níl aon rún agamsa ná ag an deoise dul dá nglanadh duit. (*Sos*) Meas tú ar chóir dúinn *search* a dhéanamh lena fháil amach cén sort íocaíochtaí a rinneadh leis na cártaí seo? (*Sos*) An mbeadh spéis ag Interpol ina leithéid? Ah? Nó ag *curia* féin. (*Sos. Imní ar an Séiplíneach*) Cártaí aifrinn. An bhfuil na haifreannacha seo ar fad léite agat?

SÉIPLÍNEACH   Níl fós.

EASPAG   Fós! Bhuel is dóigh go gcaithfidh muid na misiúin a chur á léamh mar sin duit.

SÉIPLÍNEACH   Beidh mé féin in ann iad a léamh.

EASPAG   Ar an saol eile, ab ea? Is ní fheicim aon airgead istigh iontu. Billí agus billí. An bhfuil siad seo ar fad íoctha?

SÉIPLÍNEACH   Ah?

EASPAG   Na billí seo, a deirim, an bhfuil siad ar fad íoctha? (*Sos*) An bhfuil do chuid fiacha glanta agat?

SÉIPLÍNEACH   Níl fós.

EASPAG   Fós! Fós aríst é! Fós, a deireann sé, ar nós cuma liom. Bhuel, féadfaidh tú féin teacht ar ais ón saol eile i do thaibhse mar sin leis na fiacha seo ar fad a ghlanadh.

Stopann an Moinsíneoir go tobann mar a bheadh geit bainte as. Tá rud éigin ina lámh aige. Féachann sé air agus féachann sé ar an Easpag. Fáisceann sé isteach ina dhorn é, amhail is dá mbeadh sé ag smaoineamh ar é a chur i bhfolach ar an Easpag, nó amhail is dá mbeadh náire air faoi.

EASPAG   (*Leis an Moinsíneoir*) Tusa ag ceilt rudaí orm arís, an bhfuil?

SÉIPLÍNEACH   Níl, níl.

Leagann an Moinsíneoir, agus a cheann faoi, coiscín ar an deasc os comhair an Easpaig go cúramach. Tógann an tEaspag ina láimh é agus iompaíonn thart babhta nó dhó.

EASPAG   Coiscín! (*Ag léamh*) *Lubricated, electronically tested! Sensitive!* Anois! (*Sos*) Coiscín?

SÉIPLÍNEACH   Sea, coiscín.

EASPAG   Coiscín?

SÉIPLÍNEACH   Bhuel, ní chruthaíonn sé sin tada! Níl sé úsaidte, an bhfuil? (*Cuireann an tEaspag strainc air féin.*)

EASPAG   Agus dá mbeadh, bheadh sé in áit eicínt eile ort? Meas tú an gcaithfidh muid breathnú? (*Sos*) Nó an sin a thug amach chuig teach an asail ar ball thú? Ag cur rudaí i bhfolach? (*Leis an Moinsíneoir*) Agus fluiseáil sé an leithreas faoi dhó freisin théis chomh gann agus atá uisce is lucht na timpeallachta ag fógairt a bheith á sparáilt.

File, drámadóir, prós-scríbhneoir, aistritheoir agus eagarthóir é Micheál Ó Conghaile a rugadh i 1962, in Inis Treabhair, Co na Gaillimhe. Léiríodh an dara agus an tríú dráma dá chuid – Jude agus Go dTaga do Ríocht – ag An Taibhdhearc i nGaillimh idir 2007 agus 2008. Is comhalta d'Aosdána é agus tá cónaí faoi láthair air in Indreabhán, Co na Gaillimhe.

PORTFOLIO

Bobbie Hanvey

Taking Sides

John McGahern, novelist, and his wife Madeline, photographer
Mid-1970s

Bobbie Hanvey (b. 1945) is a photographer, writer, journalist and broadcaster from Brookeborough, Co Fermanagh. In the 1960s, he worked as a psychiatric nurse in Co Down, and his novel, The Mental *(Wonderland Press, 2002), offers a rare view of everyday life in 1950s Fermanagh and at the Downshire Mental Hospital. He has also hosted a popular programme, "The Ramblin' Man", on Northern Ireland's Downtown Radio, for the past 28 years.*

Hanvey is one of Ireland's leading photographers. For the past four decades he has chronicled the people and life in the North of Ireland. He is the author of two acclaimed books of photographs, Merely Players: Portraits from Northern Ireland, *and* Last Days of the R.U.C, First Days of the P.S.N.I. *He lives in Downpatrick, Co Down.*

"Look at the cameras flying out of that man!" – Van Morrison

The photographs on pages ii, iii, v, vi, xiv and xv are published here courtesy of the Bobbie Hanvey Photographic Archives, John J. Burns Library, Boston College. They are used with the permission of the Trustees of Boston College. The Editors wish to thank Robert O'Neill, David Horn and Amy Braitsch of the Burns Library for their kind assistance. The Burns Library is renowned for its special Irish collection, widely regarded as the largest and most comprehensive of its kind in the United States, with more than 50,000 volumes and one million manuscript items focussing on the history, life and culture of the Irish people.

ITV crew, including Ted Adcock (cameraman) and Peter Taylor (journalist)
Fitzsimons Pub, Downpatrick, Co Down
1970s

Traveller children, Newry, Co Down
Mid-1980s

Neil Shawcross, painter
2009

Gusty Spence, former Chief of Staff of the UVF
1985

Seamus Heaney, poet, Anahorish Primary School, Co Derry
1996

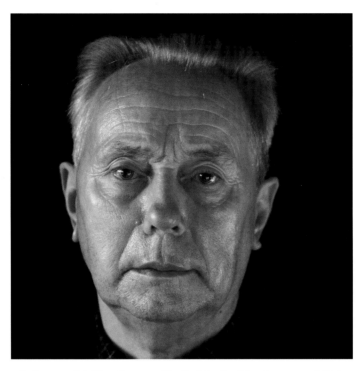

Seán Mac Stíofáin, former Chief of Staff of the Provisional IRA
1996

J.P. Donleavy, novelist, Levington Park, Co Westmeath
1998

Willie Mulhall, painter, Ardglass, Co Down
1972

Regimental plaques, British Army base, Bessbrook, Co Armagh
2004

The Punch and Judy Man, Reverend William Haslett, with his wife Doris
2007

Dying house, Co Offaly
Late 1980s

Brian Friel, playwright, Co Donegal
2000

Tomás Ó Fiaich, priest and scholar, Armagh Cathedral
Mid-1980s

David Jones, Portadown Orange Lodge, Drumcree, Co Westmeath
1999

Paul Brady, Christy Moore and Andy Irvine
Late 1970s

PORTFOLIO

is generously supported by Nicholson & Bass Ltd, Belfast.

TRÍ DÁNTA

Pearse Hutchinson

PLÁINÉAD

Alt a léigh mé an samhradh úd
in ardchathair na Spáinne, is greim
an deachtóra go trom fós
ar an tír uile, ach bean
ag féachaint siar ar a laethanta scoile:
dá dtitfeadh cailín i ngrá le cailín
eile nó le múinteoir óg aoibhinn
séard a déarfadh an cailín fúithi ná

Es mi planeta
'sí mo phláinéad í
es mi planeta!
'sí mo phláinéad –

Áilleacht, greann, misneach
d'ainneoin na tíoránachta gránna

AR AIS

i.m.S.R.

Ar ais óna saol fada i ndeisceart na hEorpa:
ní hé an teas a chrothnaím,
ar sise go dearfa,
ach freisin go séimh.

Ní hé an teas a chrothnaím, a deir sí,
ach an solas – a glór á líonadh le grá –
a súile ar lasadh
le grá an tsolais.

Ú, NÓ CEOL NA BHFOCAL

"Bhí 'fhios agam go raibh na stráinséirí fuar",
arsa an seanfhear tar éis dó an tine a ghealú
sa phub fuar sin,
lá fuar i gConamara.
Dhein sé dhá shiollab den aidiacht:
Fú-ar — ach gan fleiscín ar bith.
Inár gcluasa más ea, bhí an focal sin comh fuar
leis na gCuan Siar
ach bhí an abairt iomlán
comh grámhar leis an tine féin.

"Tá sibh ag imeacht uaim",
arsa bean a' tí laistiar den chúntar
sa phub ciúin i gCorca Dhuibhne.
Ní wem a dúirt sí ach úaim.
Ní raibh ach ceithre lá caite againn san áit
ach dúradh an abairt sin go mall
agus chuir sé i gcuimhne dom
Cumha an Fhile, Conallach.
Thairis sin, thug sí Carraig Dubh ar oileán beag —
gan séimhiú ar bith.
Agus nach raibh an ceart aici?
Ina háit dhúchais?

Rugadh Pearse Hutchinson i nGlaschú i 1927 do thuismitheoirí Éireannacha, agus bhog sé go Baile Átha Cliath i 1932. D'fhoilsigh Gallery Press Collected Poems *dá chuid i 2002. Is é an duanaire is déanaí uaidh, a d'fhoilsigh Gallery Press fosta,* At Least for a While *(2008). Is comheagarthóir ar* Cyphers *agus comhalta d'Aosdána é, agus cónaíonn sé i mBaile Átha Cliath.*

IN AINM CHROIM

Nuala Ní Dhomhnaill

Is a gcumhacht ar fad ag leá orthu.

MAITHIÚNACHAS

Sea, maitheann siad dom é
gur thiteas i ngrá
gur chuir sé an oiread sin goimh orthu
gur fhuadaíodar mé ó mo ghrá bán.

Gur bhocsáladar sa bholg é
is chaith mise isteach i dtóin an ghluaisteáin.
Gur chuireadar ceangal cos is lámh orm
le sreang aibhléise is le téadán.

Gur chuireadar a lámha ar mo scornach
is bhrúigh é go ndúrt leo cá raibh mo phas.
Gur chlabhtáladar le dorn dúnta mé
san ionathar is sa phus.

Gur sholáthradar an maide di
nuair a scréach mo mháthair "Cá bhful an fhuip?"
Gur fhanadar sa seomra
faid a dúirt sí i mBéarla "Strip!"

Gur chuir sí iachall orm, is mé forlomnocht
dul trí gach leathanach de gach leabhar is iris a bhí sa teach
is ansan (is mé ag gáirí chugham féin)
nuair nach bhfuarthas iontu faic

gur chuir sí a lámh suas béal na pise orm
mar dhea is go raibh litir agam ann i bhfolach.
Chuireadar iachall orm Sliabh an Iolair a dhreapadh
Suas Cam Áille is Tower na bhFód, is nuair a dúrt

go raibh fuil trím síos, ná raibh maith agam,
ba chuma leo. Is nuair a dúrt
nach raibh aon bhróga orm
is go raibh an aiteann ghaelach ag gearradh mo chos

go ndúradar gur maith an rud é sin
mar ar son mo pheacaí go ndéanfadh sé pionós.

Is nuair a bhíomar ag teacht anuas an cnoc
ar an mbóthar go dti an loch
go ndúradar go bhféadfaidís léimt orm, dá mba mhaith leo,
rud a chuir déistin orm is alltacht.

Gur chuadar chun na Ard-Chúirte
is cé go rabhas geall le fiche bliain d'aois
gur baineadh díom gach ceart sibhialta
gan an breitheamh ag cur oiread is ceist amháin orm

cad a bhí fúm a dhéanamh, nó ligint dom teacht ina láthair.
Gur chlabhtáil mo mháthair timpeall an tseomra mé.
Is gurb é an manadh a bhí aici
nach raibh ionam ach naíonán ós comhair an dlí, hí, hí,

is go bhféadfadh sí a dhéanamh liom mar ba mhian leí.
Go maíonn siad anois murach iad ná faighinn mo chéim
gan cuimhneamh go bhfaighinn céim i bhfad níos fearr
murach an galar dubhach a bhuail chomh doimhin sin mé

gur thit mo chodladh orm i lár scrúdú iomlán.
An galar chéanna atá ag gabháil stealladh dhom
mo shaol uile ón am sin anuas. Daichead bliain atáim
i mbraighdeanas aige, gan sos ná cur suas.

Ó, sea, maitheann siad é sin go léir dom
mar a mhaitheann siad do chách,
mar a mhaitheann na sagairt eile dos na leanaí beaga é,
na leanaí a chuir cluain orthu, lena gcoirp

bheaga is mánla is lán de neamhurchóid, mar dhea,
cé go rabhadar lán de phoimpeanna an diabhail,
a chur iachall orthu féin éigniú a dhéanamh orthu
is an mhéirín bhán a shá suas a dtóin,

is ina diaidh sin iad a mhealladh le milseáin.
Ó sea, maitheann siad dúinn go léir é
mar gur orainne a bhí an locht,
mar go bhfuil a lámha oirnithe féin beannaithe

de bharr na sacraiminte is lán de chumhacht
le fios an oilc is na maitheasa.
Is anois ar deireadh agus a ré istigh
is a gcumhacht ar fad ag leá orthu

go bhfuil sé de cholpa acu a iarraidh orainn
gan náire ná aon agó
ár gclann is clann ár gclainne
a thabhairt chucu le beannú.

Bhuel, dár brí na mionn, is in ainm Chroim
thar mo chorpán marbh a thárlóidh!

Nóta: Is saothar litríochta samhlaíche an dán seo nach dtagraíonn d'aon duine beo.

I Lancashire Shasana a rugadh Nuala Ní Dhomhnaill do thuismitheoirí as Éirinn agus i gCo Chiarraí a d'fhás sí aníos. Tá ceithre mhórchnuasach filíochta i nGaeilge scríofa aici, ónar tarraingíodh cúig leabhar dhá theanga. Scríobh sí fosta leabhar aistí i mBéarla. Is é an t-imleabhar filíochta is déanaí uaithi The Fifty-Minute Mermaid *(The Gallery Press, 2007). Ba í Ollamh Filíochta Éireann í ó 2001 go 2004, agus cónaíonn sí faoi láthair i mBaile Átha Cliath.*

TO SCULLABOGUE
BACKWARDS FROM BELFAST:
AGAINST SECTARIAN PRECONCEPTIONS

—

Patricia Craig

A crazy knot.

A few years ago, I wrote a memoir called *Asking for Trouble*. It was centred on a crucial event of my early life (crucial to me, at any rate): being expelled from a convent school in Belfast at the age of sixteen for a miniscule misdemeanour. Well, that was how it seemed to me at the time, and how it still seems, though others may disagree. Indeed, some readers did disagree, with varying degrees of vehemence, and rushed into print or went on the radio to stick up for the nuns responsible for the expulsion of three promising pupils from St Dominic's High School on the Falls Road. Even if they didn't, these protestors might as well have signed themselves "Outraged of Antrim", or Ballynahinch, or wherever. They firmly believed we had it coming to us, on account of our shocking behaviour. Other readers, those who'd suffered under the same regime, thought I hadn't gone nearly far enough in my castigation of that particular system. "More could be told" was the verdict of the convent-afflicted. At this point it looked as if the title, *Asking for Trouble*, might relate to the reception of the book, no less than the activities evoked in it.

I am very bad at titles, and I wasn't altogether happy with this one which is not exactly original. But I chose it in the end because of its slightly ironic bearing on the theme of the memoir, and also because I had it in mind that it referred not only to the particular events I was writing about, but to an entire society on the verge of falling apart. Given the conditions prevailing in the North of Ireland in the late 1950s – economic, social, religious and political conditions – it was clear that something had got to give. And, for a brief moment in the following decade, it seemed as though the inevitable upheaval might actually result in a more equitable, just and progressive reshaping of Northern Irish society – but as we know, it didn't happen. What happened instead exceeded the direst anticipations of the most pessimistic observers of Northern Ireland's sectarian ethos. James Simmons puts it succinctly in his poem "The Ballad of Gerry Kelly". "Sixty-nine the nightmare started, / Loyalist anger rose."

We are all familiar with the spectacle of Loyalist anger accelerating in response to any perceived threat to Ulster's status quo. From Thomas MacKnight writing in 1896 about "armed assemblies of Orangemen" and "Mr Parnell" declaring "that there had been tumultuous and riotous gatherings of Orangemen wishing to murder the Irish Catholics" – from that, to the burning of Bombay Street by a Loyalist mob in August 1969, the past had always risen up, like a ghoul from a burial mound, to overwhelm any current egalitarian impulse. Whenever it showed the least sign of subsiding, atavistic outrage was easily reignited by some energetic demagogue like the Reverend Henry Cooke – described by one commentator as "the framer of sectarianism in the politics of Ulster" – whose entire being was geared to opposing what he called "fierce democracy on the one hand and more terrible Popery on the other".

Dr Cooke in his antiquated clerical garb is a kind of cartoon embodiment of nineteenth-century Ulster illiberalism; but in fact, as well as contributing to the diehard Protestant ethic of his day, Cooke was also articulating sectarian doctrines to which many people subscribed, either overtly or covertly. "You know," they might have whispered, "there's something in what he says." … This quotation from John Hewitt's poem "The Coasters" takes us forward a century or so and refers to a different set of circumstances – but it puts its finger on a continuing, low-grade, passive bigotry, a bigotry of boardrooms and suburbs, which played a part in contaminating the whole of Northern Irish society, to the point of dissolution. "You coasted along," the accusing poem goes:

> You even had a friend or two of the other sort,
> Coasting too: your ways ran parallel.
> Their children and yours seldom met, though,
> being at different schools.
> You visited each other, decent folk with a sense
> of humour. Introduced, even, to
> one of their clergy. And then you smiled
> in the looking-glass, admiring, a
> little moved by, your broadmindedness.
> Your father would never have known
> one of them. Come to think of it,
> when you were young, your own home was never
> visited by one of the other sort.

It's a Protestant "you" of course that Hewitt is addressing – but I'm not suggesting for a moment that you didn't find an equal amount of bigotry, aggression, name-calling, stone-throwing or nepotism among "the other sort" – the Catholics of Ulster – or some of their representatives. Think of Brian Moore's father, a Catholic surgeon in Belfast, refusing to allow any member of his household to adorn the table with "a Protestant loaf of bread" – that is, one made by the Ormeau Bakery rather than Barney Hughes's. Think of the episode in St John Ervine's novel of 1927, *The Wayward Man*, when young Robert Dunwoody strays into Catholic territory in the back streets of Belfast, and is set upon by "a gang of rough youths" hell bent on forcing him to curse King Billy – "'Curse King William, you Protestant "get", you!'" "They crowded round him, … pulling his hair and beating his skull with their knuckles … He could see the vicious face of the leader of the gang turning more vicious still …". Or the moment in a considerably inferior work of fiction published in 1911, *The Belfast Boy* by Agnes Boles, when a couple of Protestant girls succumb to terror on catching sight of a body of men coming towards them over Peter's Hill. "'Look!' cried Maggie Reilly, 'It's the Catholics coming to wreck the Shankill.'" Confronted with all this coming from both sides, you might find yourself harbouring a degree of sympathy with the author of an even worse novel, James Douglas, when he took a look at Edwardian Belfast and its goings-on and renamed the deplorable city "Bigotsborough". "The clash of broken glass was a familiar sound in the streets of Bigotsborough."

Sectarian noise, indeed, wasn't confined to Belfast. Take Portadown, for instance. The late George Watson, academic and literary critic, published an instructive essay in the *Yale Review* in 1986 about his experiences growing up as "a Portadown Pape". Coming home from primary school every day, he says, he and his friends had to fight Protestant boys who called them "Fenian scum". Now, if you gave it any thought at all in this respect, you would take "George Watson" to be a Protestant name. If you then found out that Watson's father was an RUC constable, the family's Protestantism would seem to be assured. But it wasn't so. Both his parents, in fact, were Catholics from the South, from Kilkenny and Connemara respectively, and his father (born in 1898) had got himself transferred North from the old Royal Irish Constabulary after 1922. Members of the RIC were at risk in the South, and Catholics were at risk in Portadown … It seemed that no escape from sectarian assault could be found anywhere – well, anywhere apart from the family home, especially when the radio was on and a sonorous *English* voice, reading the shipping forecast or delivering a cricketing commentary, disseminated a tremendous sense of well-being and security.

"Cultural confusions" is George Watson's pertinent subtitle. As far as he was concerned, England was the great good place, a view compounded by his childhood immersion in English public school stories like *Teddy Lester's Chums* and weekly story papers such as the *Rover*. "In that world," he writes – that is, the world of honour, fair play and English uprightness – "you would not see, with that sickening lurch of the heart, three shadowy figures detach themselves from a wall and saunter towards you, while you realised that your mental navigation had let you down … and you had blundered into an Orange street. In Teddy Lester's world, you would not get a half brick on the head because you were a 'Papish'."

The self-perpetuating momentum of sectarian misdoing was the thing that engendered the greatest despair in the hearts of liberals and social reformers of all persuasions, in the past and later. It was always a case of "pull devil, pull baker" as the most insistent ideology of each sect defined itself in opposition to the other. No citizens of Belfast, Benedict Kiely wrote in 1945 in his book *Counties of Contention*, "could congratulate themselves on the uncouth, vicious thing that comes to life at intervals to burn and kill and destroy". He wasn't singling out one faction as being more reprehensible than the other, at least at street-fighting level – but of course, as a general rule, liberal opinion in Ireland has always come down on the side of Catholicism. I don't mean the religious system, indeed, but the elements of society coming under that heading, since social oppression (roughly speaking) was a prerogative of the other side. "Avaunt his verses be they ne'er so fine,/Who for the Catholics – REFUSED TO SIGN!" wrote William Drennan in 1811 about a clergyman-poet who declined to add his signature to a petition calling for Catholic Emancipation.

However, as I've suggested, *Catholic* bigotry can be just as virulent and excluding, and in many cases appears smugger, than its Protestant counterpart; if the latter seems to have more aggression about it, it's probably through being more insistently thrust in our faces. At any rate, this was true in the past. We can't forget scenes like the one described by James Connolly's daughter, Nora Connolly O'Brien, as she watches a terrified young shipyard worker pelting along Royal Avenue with a gang of fifty men, all dressed in dungarees, in hot pursuit. "Islandmen chasin' a Papish", she is told off-handedly when she asks a passer-by what is going on. Such things were still going on when Sam Thompson brought them to the attention of an audience outside Belfast with his play "Over the Bridge" (first produced in 1960). And long before the days of political correctness you had a shoemaker in Belfast who used to advertise his wares with the unambiguous slogan, "Wear Kelly's Boots to Trample the Papists".

Well! By the time you reach this stage of bare-faced provocation, you've gone beyond bigotry and into some indigenous realm of robust street-assertion – and actually non-denominational entertainment. As a piece of unrepentant Ulster lore, a statement like the "Kelly's Boots" injunction is fit to be cherished by all, along with "The Oul' Orange Flute" and the story about the Orangeman on the Liverpool boat listening politely to a stranger who was singing the Pope's praises, saying what a great statesman he was, and a worthy gentleman personally into the bargain. "What you say may be true," says the cautious Orangeman eventually, "It may be true, but I have to tell you, he has a very bad name in Portadown." ... All right, I know I'm getting into a mode of Ulster quaintness here, but bear with me for a moment: I don't intend to overindulge in it. It's just to indicate a tiny portion of the Northern Irish inheritance common to all of us, whether we kick with the right foot or the wrong foot – or whatever manufacturer's boots we wear to do it. It would, indeed, be a very po-faced Catholic and nationalist who would fail to be amused by the "Trample the Papists" legend.

And there's another, more serious point to be made in connection with that egregious advertisement. Consider the name "Kelly" for a moment – or "O Ceallaigh", as it would have been in its original form. It's hard to think of anything more suggestive of Irish-Ireland, Gaelic and nationalist and Papist to the core. Somewhere in the background of your ultra-Orange bootmaker a change of allegiance must have occurred. And this, I think, would prove to be true of most of us in the North of Ireland. It's only necessary to go back a generation or two, in many cases, to find some abhorrent antecedent popping up to alarm any would-be factional purist – or delighting those of an ecumenical disposition. ... I mentioned Brian Moore's father a minute ago, and his utter aversion to Protestant bread. Dr Moore was a very prominent figure in Belfast Catholic circles in the 1920s and 30s – but his own father was a Catholic convert, as it happens, and Dr Moore had a nineteenth-century Protestant grandfather who earned living as a shoemaker (I can't seem to get away from shoemakers) in Ballyclare.

That's just a tiny example of the pervasiveness of ancestral exogamy. Another occurs in the opening poem of Seamus Heaney's sequence,

"Clearances", from *The Haw Lantern* of 1987. It's about his Protestant great-grandmother whose name was Robinson. I quote:

A cobble thrown a hundred years ago
Keeps coming at me, the first stone
Aimed at a great-grandmother's turncoat brow.
The pony jerks and the riot's on.
She's crouched low in the trap,
Running the gauntlet that first Sunday
Down the brae to Mass at a panicked gallop.
He whips on through the town to cries of "Lundy!"

(Incidentally, I wonder how many people outside Northern Ireland would pick up the "Lundy" reference.) And, in his charming book about his Lisburn grandparents, *Once Upon a Hill*, "lapsed Protestant" Glenn Patterson doesn't have to go to any great lengths to uncover the fact that one of them, his grandmother Catherine Logue, was a born Catholic whose Exclusive Brethren husband nevertheless considered her to be "the greatest little woman in Lisburn". And again: take the Falls Road, Catholic, Irish-speaking Carson family, and you find Liam Carson in his recent memoir, *Call Mother a Lonely Field*, and Ciaran Carson in various places, making no bones about claiming a great-grandfather – another "turncoat" – who was once an Orangeman in Ballymena. "And all of us thought him a stout Orange blade." Another memoir, *Protestant Boy* by Geoffrey Beattie, evokes a true-blue, working-class upbringing in Ligoneil – but what the young Protestant Geoffrey Beattie doesn't grasp for years is the fact that his best-loved uncle, his Uncle Terry, is "one of them": a Papist. It's true that uncle Terence's name, O'Neill, which he shares with a prominent Ulster Unionist, suggests an uncertainty about his denominational origin.

I could go on ... and on. However, I will return shortly to this melting-pot aspect of our heritage which exists as a strong undercurrent in Northern Irish life, even if many of us aren't aware of it (or would fiercely repudiate any such integrationist slant). I intend to underscore the point by concentrating briefly on a couple of strands of my own ancestry, which for my purposes here may be taken as representative. But first, let me restate clearly what it is that I'm trying to achieve with this talk. As William Empson did in a different context (and with immeasurably greater expertise), I'm attempting to engage in a small indigenous exercise in "putting the complex into the simple". I am endlessly intrigued – without, I hope, overdoing an "ironies-of-history" orientation – by the way things often work themselves out in an unexpected form; and when it comes to Northern Ireland and our sectarian divisions, it could be argued that the whole state of contention is based on a fallacy, the fallacy that we are all irreversibly attached to one tradition or the other (I mean attached by genetic inheritance as well as conviction). A very basic, though unusually benign, children's rhyme comes into my head to illustrate this pig-headed point: "Holy mary Mother of God,/Pray for me and Tommy Todd,/I'm a Fenian, he's a Prod,/Holy Mary Mother of God".

Fenians and Prods. Them and us. While I was in the course of writing *Asking for Trouble*, I found the central story, the one about being expelled, was surrounded by other stories connected to the province I grew up in, and some of these had to do with family history. Thanks to the researches of two intrepid cousins, one on each side, Harry Tipping on my mother's side and George Hinds on my father's, I came into possession of a good deal of information previously unknown to me – or at best, only partially known and haphazardly assimilated. At some point it occurred to me that some of this information might be amplified to form a separate volume – *not*, I should say, a family history as such, but a book whose central objective is to undermine sectarianism by showing how interconnected we all are in the North of Ireland, whether we consider ourselves to be exclusively Protestant, Catholic, Presbyterian, Holy Roller or High-Caste Brahmin. So I began work on this enterprise to which I'm currently devoting most of my time. I was also partly inspired by a marvellous book by Tom Dunne, *Rebellions*, which has the kind of density and balance I'm aiming for, with its mixture of history and family history, autobiography and social comment … Because of the need for continuing research, and to try to ensure that every aspect of the book will fall into place, this new project of mine has turned out to be pretty long-term. It is called *Scullabogue*, for reasons which will become clear in a moment. It's not, as I say, a family history; but of course, it's proved necessary to focus on the lives of some of my own ancestors, those who begin to emerge with a degree of clarity from the often impenetrable fogs of the past – necessary first of all because these are the ones I've gained some small insight into, and also because they turn out to be a wonderfully heterogeneous lot – down and up the social scale (mostly down), in and out of Church and Chapel, Lurgan Papes and Wexford Prods, hanged and hangmen, street brawlers and scholars, full-blown Orangemen and Republican activists. I have to say that the "fior Gaelach", true Irish, strain in my ancestry is the most exiguous, but it does exist (I think) courtesy of an umpteen-times great-grandmother called Esther O'Neill.

Graham Greene was fond of quoting a couple of well-known lines from Browning, which he said could stand as an epigraph to all his novels: "Our interest's on the dangerous edge of things,/The honest thief, the tender murderer/The superstitious atheist". In the context of Northern Ireland we might adapt these lines to make "the dangerous edge" accommodate the Protestant Fenian, the principled rioter, the unchristian cleric, the merciless Sister of Mercy (and I'm happy to say I've uncovered none of the last among my indirect ancestors; indeed, no priests or nuns whatever occur in the vicinity of any branch of my family tree, which, as nonsuperstitious atheist, is something I'm thankful for). But the dangerous edge, for me, suggests above all an edge of complexity, a subversiveness, which makes a nonsense of the monolithic certainties on which the entire structure of our centuries-old conflict is based.

———

When I was growing up in Belfast things were simpler – well, simpler in one area at least, the area of political allegiance. It was the 1950s, and I was in thrall to a nationalist version of history. The thing most dear to my heart was the noble conspiracy in a back room up a rickety staircase. "Inspired conspirators" in Derek Mahon's phrase, wearing Donegal tweed jackets and devoted to Ireland's cause. I was exhilarated by the idea of a principled lawlessness. It was as much a matter of leaning as breeding. I mean, I knew that half my ancestry was Protestant. But the other half, I believed, was Catholic Irish and Gaelic through and through, and that was the side I chose to affirm. It suited me to claim connections with Irish patriots (a claim only very marginally justifiable, as it turned out), just as it suited me to block out the Orange affiliations of my father's family, whose merits as human beings I fully acknowledged. These were my dear aunts and uncles, not oppressors or bigots or appliers of rude epithets to the Pope. No member of the Craig family had the least desire to withhold from myself and my peers the package of social advantages increasingly coming to be known as our civil rights. Indeed, any news of our deprivation in this area would have startled and mystified my paternal relations. Aside from periodic ructions in back streets, they'd have argued, didn't life for all of us in the North of Ireland, proceed in much the same non-controversial way? At one level, this was indisputable – but for those of us, historically- or crusader-minded, who craved a cause to get our teeth into, the North provided plenty of scope for indignation and right action. We were ripe for recruitment to the dissenting ideologies of the time and place.

There was an Ireland I imagined, violated and mutilated (six counties lopped off), but rising above every abuse to shape itself into a magnetic construct, Caitlin Ni Houlihan, the Poor Old Woman, Roisin Dubh. Replete with romance and secretiveness, it lent an edge of undercover glamour to our everyday existences. The history we responded to had the fullest nationalist slant imposed on it. It was a story of unbroken rectitude on the part of the true Irish, matched by every kind of colonists' and oppressors' iniquity and enormity. For seven hundred years, the Irish had suffered heroically and marshalled their resources, over and over, in a doomed but gallant revolutionary endeavour. In every generation, it was said, Irish blood – copious and uncontaminated Irish blood – was spilt for the country's sake. Patriotic verses enshrined the ensanguined. O'Neill and O'Donnell were the names, Sarsfield, Emmett, Wolfe Tone, Mitchel, Pearse. In our iconography, the emphasis would always fall on Boulevogue, not Scullabogue; on the Yellow Ford and never the Orange Boyne. We envisaged a state of affairs stretching back and back to ancient times, in which freedom and Erin, or some such concept, was perpetually opposed to the Saxon and guilt.

Enlightened disaffection, edifying unrest, were modes of being we upheld and immersed ourselves in. In this area, we set no store by complexity or impartiality. All the time, it was us and them. And, of course, you could choose to align yourself with the incorruptible Irish cause even without the unblemished ethnic credentials some might call for – think Mitchel, Emmett, Plunket, Tone – but those best entitled to Republican prestige had names like Maguire, MacMahon, O'Reilly, O'Kane ... And where did that leave me, Irish and Gaelic as I considered myself, to my fingertips? "Craig" did not exactly endorse that bit of wishful thinking. In my part of the Falls district of Belfast, "Craig" had very unfortunate associations. It proclaimed the very thing I was anxious to repudiate, an affinity as Orange as the Boyne water, or a gable end in Sandy Row. "Brady" was better – my mother was Nora Brady, and in my head was some vague genealogical commonplace, never verified or discredited at the time, about an Irish Brady connection to County Cavan. My grandfather Brady – my mother's father – had married a Tipping, and the Tippings, I knew – in so far as I knew anything at all about them – were staunchly Republican. If I thought about it though, that name too was a worry: it didn't exactly have the Gaelic ring I'd have relished. (My cousin Harry Tipping, the family historian, mentions in one of his papers a desperate attempt on someone's part to Gaelicise the name by turning it into something like O Tiomhpanaigh. The version he prefers, Harry says, is O Tarbhcach – literally, bullshit.)

So – where had these exceedingly Irish Tippings come from? There's a short answer to that: Stratford-on-Avon. They were among the second wave of Planters, or rather Planted; and the first of that name to arrive in Ulster, a John Tipping, is listed among the original builders of Lisburn in the 1620s. When he and his wife Katherine Rose uprooted themselves from well-regulated Warwickshire, for whatever reason, and headed for the Woods of Ulster, they brought with them a family of five children aged between four and seventeen. ... They, the Tippings and their fellow settlers, seem to have existed peaceably enough, between 1622 and 1641, in their two-street town with the seething countryside beyond it. By the 1630s, Stratford-on-Avon would likely have receded in the minds of the High Street and Bridge Street immigrants. Ulster was the here-and-now, and a kind of social order and civic consciousness was being established in Lisburn itself and in all the little Planter towns, in small ways and according to an English pattern. ... Life went on, with uneasy accommodations worked out between the settlers and the native Irish – but then came the cataclysm of 1641. The Tippings survived the massacres, though Lisburn was burnt to the ground, but one of their kinsmen by marriage was a victim of the insurgents.

In 1635, the Tippings' oldest son Thomas had married Elizabeth Allen of Longford, the daughter and granddaughter of English settlers. When the uprising reached the Irish midlands, her father, Edward Allen, fled for shelter with the rest of his family to the newly-built castle of Lord Aungier in Longford town. There, distraught Planter families held out until the first week of December, when hunger and other miseries drove them to enter into negotiations with the hell-raising besiegers surrounding the castle, the warlike O'Farrell clan who were out in force to repossess their stolen lands. A four-man delegation, including Edward Allen, was allowed to leave the castle and conducted to a nearby house where terms were threshed out and agreed in writing, signed by all parties. The lives of the English settlers would be spared ... but they weren't. As they emerged from the castle believing the worst of the ordeal was over, they were set upon, stripped of their clothing and slaughtered on the spot – though a few got away in the accompanying chaos and lived to recount the ghastly story. Edward Allen, my great-grandfather-at-an-immeasurable-remove, escaped for a time by jumping into the River Camlin; but whatever happened, he ended in enemy hands. He was chained in a dungeon for two days and nights, and then brought out and hanged from a gallows erected in front of Longford Castle.

———

A hanged ancestor: now there's a ghost that could haunt you, if you let it. It could come supernaturally dragging the ball and chain that secured it in a dungeon, bleeding from its head wound – a spectral presence and nightly embodiment, or disembodiment, of accusation, reenacting its deathly predicament by the sole surviving outer wall of Lord Aungier's castle. Or, more subtly, it could insinuate itself into the brains of susceptible descendants, colouring their attitude to enormities of the past. But I don't think so. I think Edward Allen, Gentleman, of Longford, would have wished to dissociate himself from a lurid afterlife. I think he'd prefer the emphasis to fall on his orderly and upright life, not his awful death. (Sheer supposition, of course; based on nothing more than the way he's described in the Depositions, the "Gentleman, of Longford" bit.) But the effect of his murder on those closer to him in time, his children and grandchildren – to stick with those two generations for the moment – would naturally have been vivid and extreme.

His son-in-law Thomas Tipping went on to join the Cromwellian forces in Ireland later in the 1640s, while Thomas's two brothers fought on the Royalist side. By the time of the Restoration in the 1660s, all three had acquired lands in lieu of army pay, in County Down, Cavan, Westmeath and South Armagh, and all looked set to prosper (which some of them did). ... Around the turn of the twentieth century, I learned from my mother on one occasion in the distant past, some of our relations the Lurgan Tippings had started to look into their family history but hastily abandoned the project once they'd got back to the seventeenth century and uncovered the shocking fact that all of them were descended from Oliver Cromwell. It was nonsense, of course, my mother said, her assumption being that "a Cromwellian soldier" – that is, Thomas Tipping – had somehow, by a process of Chinese whispers, got transformed into the old executioner and villain of Irish history himself. No doubt she was right – but for her, as for me, *any* Cromwellian connection was a thing to keep very dark. It would have been vastly preferable to claim descent from the wonderfully named

Cormac Mac Ross O'Farrell, clan chieftain and besieger of the English settlers at Longford Castle – not that any of us, at the time, knew a thing about that particular episode in English/Irish relations, with the usual roles of victims and aggressors reversed. The truth was bad enough. But our lineage, my mother's and mine, as far as pure Irishness was concerned, was worse, much worse, than she or I could ever have imagined.

To return to the Tipping line in the seventeeth century. Thomas Tipping's youngest son John Tipping – a grandson of the murdered Edward Allen – acquires some elevated in-laws when he marries Frances Blacker, granddaughter of a Royalist officer named Valentine Blacker, and briefly moves up the social scale before his descendants go plunging down it (which I'll come to in a minute). John Tipping's social advancement was brief, because he didn't live for very long to enjoy it.

After the post-Cromwellian years of relative tranquillity in the Armagh countryside and elsewhere, another upheaval is in the offing. Events are tending towards the Siege of Derry and the Battle of the Boyne – and there's a terrible sense of *deja vu* about what happens next. As in 1641, panicking Protestants all over the North are abandoning their homes and heading in desperation towards some putative place of safety – which often proves to be a chimera. The countryside is thick with roving detachments of King James's army, mostly Catholic, who consider it their mission to prey on Protestants. Terrible things can happen to those who fall into their clutches. And it seems the aforementioned John Tipping is one of them. Somewhere along the road between Portadown and Derry, in that lethal year of 1689, he is done to death along with his mother-in-law and one of his brothers-in-law. All three are buried in Seagoe parish church. (A little book about the Blacker family, *For God and the King*, written by J.S. Kane and published by the Ulster Society in 1995, puts Frances Blacker among the dead of that year – but in fact there is evidence to suggest that Frances was still alive as late as 1710; and we know that at least one, and probably two, of her and John Tipping's sons survived.)

Meanwhile, Frances's remaining brother William Blacker is undergoing some adventures and misadventures of his own. Leading a party of women and children northwards towards Derry (as Kane tells the story), William comes face-to-face with a band of Irish army recruits. But rather than slaughtering him on the spot as a pernicious Protestant, these soldiers instead engage William's services as an emissary for King James, positively encouraging him to press on to Derry – on condition that he carries with him the surrender terms laid down by James for the capitulation of the unruly city … You might wonder why these Jacobite soldiers trusted William Blacker to stick to the terms he'd agreed, once he was out of their hands. Had they required him to leave hostages behind? I think it more likely that his family's long adherence to the Stuart cause had something to do with it. We don't, of course, know what William Blacker had in mind, at the time or later; but he did reach Derry and delivered the compromising missive as instructed – whereupon he found himself imprisoned as a traitor, and one line of the Blacker dynasty nearly took an irregular turn.

But William's conspicuous survival instincts don't desert him. The next minute he's up on Derry's Walls fighting off the besiegers alongside the Rev. George Walker and other luminaries of the historic event. Did he have a change of heart? When it came to a clash between William's inherited Stuart loyalties and his Protestantism, I suppose it was never in doubt where his ultimate allegiance would lie. … The next glimpse we have of William Blacker, brother of my direct forebear Frances, shows him fighting at the Boyne under an Orange banner and thus, in the words of J.S. Kane, "establishing the family's long and glorious connection with the cause of Orangeism". He acquits himself so well in the battle that King William's "horse furniture" from the Boyne engagement, including gloves, stirrups and an embroidered saddle cloth, is later presented to William Blacker in recognition of his military services and descends down through the family until it finally ends up with the Grand Orange Lodge of Ireland "for safe keeping".

———

The Grand Orange Lodge of Ireland! There's a name to strike a chill into the heart of any young Falls Road republican embracing subversion in the middle part of the twentieth century. Or if not a chill exactly, a strong distaste for its alien and antiquated connotations, its diehard mentality and Sabbatarian stuffiness. It's a quaint and ridiculous institution when it isn't vicious – and however you look at it, it is mired in the past; whereas we enlightened Catholics and socialists feel a breeze from a more expansive future blowing on our forward-looking faces.

I hadn't always been so dismissive of the Orange Order. Before I knew any better – that is, in my pre-school days – I'd been taken by my young Protestant father (now a Catholic convert) down to the city centre to watch the Twelfth of July parades march past the statue of the Rev. Henry Cooke (whom I mentioned earlier), the so-called Black Man on his plinth with his repudiating back for ever turned to the liberal ways of "Inst". Perched on my father's shoulders, I'd have waved a Union Jack as merrily as any in the crowd, had one been placed in my three-year-old fist. As far as I was able, I responded to the panache of the occasion, and something of its dynamism must have stayed with me. Louis MacNeice's "heart that leaps to a fife band" never leapt more vigorously, I am sure, than mine did (and does).

My father's brother, and his Uncle Freddie, would likely have been among the marchers glorying in their Protestant heritage and long-ago victory at the Boyne. Uncle Freddie's Orange Lodge, of which he was the Chaplain with the title "Sir Knight F.A. Craig" (I have no idea what these terms mean), was St Nicholas L.O.L. 782, and I am sure it was fully represented in those early post-war parades. ... Some years later, in the 1950s, I went with my cousin Helen to stay with Uncle Freddie and his second wife when they lived in England, in Crewe, and found that he had arranged with some Catholic friends to take me to Mass on Sunday. As I've said, my Craig relations never went in for any kind of bigotry; the family's Orange affiliation was carried lightly, as far as I know, as lightly as the flutters in a summer breeze of the Union Jack flown from the roof of my grandparents' gate lodge at the Malone Road end of Dunmurry Lane. But for all that, it was definitely a Protestant, a Church of Ireland, household – and it was this that shaped my father's temperament, just as my mother's was shaped by the Catholic church. As for me ... nuns got hold of me in 1947, with an eventual outcome which I've recounted in *Asking for Trouble*. And long before I understood their significance, Orange processions through the centre of Belfast had become for me a thing of the past. Their place was taken by May processions devoted to Our Lady, Corpus Christi processions and Holy Communion dresses. In time, I would add Easter Sunday processions to Milltown Cemetery to commemorate the dead of 1916 – giving my father something to be broad-minded about, just as my mother had been broad-minded about the early Orange parades. She *was* broad-minded, indeed, about that and a good deal else besides. But what neither she nor anyone else suspected at the time was her own oblique ancestral connection with the Orange Order (through the Blacker strand), which outdid in piquancy that of the Craigs.

—

And now the ancestral mishmash thickens. Among the ironies and cultural anomalies surrounding my Belfast Catholic girlhood was my grandmother's accent. She, my father's mother, had as strong a Southern brogue as the tinkers in their gaudy caravans parked on the old Bog Meadows near our home. She had only to open her mouth to create a wrong impression. A rich Irish voice was not a popular attribute in the Protestant North. It marked you down as a rebelly Papist and contemptible alien. Whereas my grandmother, in fact, was as Protestant as the loaf of bread Dr Moore waved away in disgust from his breakfast table.

My grandmother was born Emily Lett in September 1889, the youngest child of a Co Wexford farmer named William Lett and his second wife Emily Anne Thorpe. Clearly, Wexford or not, the origins of people bearing names like these are not Gaelic. I cannot attach them to ancient romantic Ireland in any of its guises. (In fact, I've recently been informed that all the Wexford Letts were descended from a Cromwellian soldier – another one! – named Captain Charles Lett.) New Ross was their territory, Clonleigh in particular, and the triangle formed by it, Enniscorthy and Wexford. But the connotations of these placenames, as 1798 comes to the fore, worked for me in ways antagonistic to my ancestors.

People who dominated my historical consciousness were those like Kelly, the Boy from Killane, Henry Joy McCracken hanged in Cornmarket, young Roddy McCorley going to die on the Bridge of Toome today, agile Father Murphy from Old Kilcormack, all the starry dead whose resistance to injustice was woven into the vast tapestry of successive Irish causes. For me, the idea of Wexford in 1798 carried all the glamour of insurgency and idealism. It still does, in part. No one in their right mind could quarrel with the United Irishmen's motivating principle, as articulated by Wolfe Tone: to substitute for Catholic, Protestant and Dissenter the common name of Irishman. And I've never quite divested the insurgents' emblem – the pike – of its stirring associations. Clasped in a sturdy hand, or concealed in the thatch of a radical farmhouse, the pike of 1798 is a symbol of bravery and carries a clandestine exhilaration. It, and other makeshift weapons, denote a magnificent foolhardiness. There's a potent early poem by Seamus Heaney, "Requiem for the Croppies", in which the fatal confrontation on Vinegar Hill sees inadequately armed rebels "shaking scythes at cannon" as the whole intrepid enterprise and buoyed-up resolution comes to nothing. A defeat, then, but the opposite of an inglorious defeat.

All that is indisputably part of the Wexford picture, but it is not the whole picture. In 1993, in his review of R.F. Foster's *Paddy and Mr Punch* in the *London Review of Books*, Colm Toibin has the following passage (I quote):

The names of the towns and villages around us were in all the songs about 1798 – the places where battles had been fought or atrocities committed. But there was one place that I did not know had a connection with 1798 until I was in my twenties. It was Scullabogue. Even now, as I write the name, it has a strange resonance. In 1798 it was where "our side" took a large number of Protestant men, women and children, put them in a barn and burned them to death.

In that barn were people named Lett. Scullabogue is not many miles from Clonleigh, where my grandmother's ancestral farmhouse stands (I think it still stands). Protestant children in the district might well have been scooped up by rogue insurgents and added to the other "loyalist" captives in the terrible barn. A Benjamin Lett, a boy of about thirteen, was among the Scullabogue prisoners and so was his sister. Perhaps as many as two hundred terrified local people were incarcerated in the thatched barn itself and in the adjoining house (the property of a Captain Francis King), though not all of them died there. Tom Dunne, in his book *Rebellions*, puts the number of those incinerated at 126; and among these victims were about eleven Catholics. The Catholics were taken solely because they worked for, or had dealings with, Protestants. The evil episode invalidates the entire "United Irish" ideology and makes a mockery of Wolfe Tone.

The two young Letts were lucky. There are several accounts of how they got away with their lives, but the one I prefer attributes their release from the barn to a couple of well-meaning and influential Catholics, Thomas Murphy of Park and Brien of Ballymorris. (It's cited by Charles Dickson in his book of 1960, *The Rising in Wexford in 1798*, when he quotes from a manuscript account of the atrocity by a Mr Charles Lett.) Another version of the story has Benjamin's sister Elizabeth making a wild appeal to a priest on the spot and getting him to intervene to free her brother. And a disagreeable pamphlet with the lurid title *Murder Without Sin: The Rebellion of 1798*, written by an Ogle Robert Gowan and published in 1859, contains the following stark information about the Scullabogue prisoners: "Out of the entire number, three only escaped, namely Richard Grandy, Loftus Frizzel and Benjamin Lett". You can take your pick of the three scenarios. But whatever the truth of the matter, the Letts were safely away from the scene when the barn with its cargo of human flesh was set alight. A Quaker girl named Dinah Goff, whose home was located about two and a half miles from Scullabogue, relates how (I quote)

"I saw and smelled the smoke from its burning … and cannot now forget the strong and dreadful effluvium which was wafted from it to our lawn."The date was June 5th, 1798. Four days later, on June 9th, the skeletons were cleared out of the ruined barn and buried in a shallow hole with a covering of sods. As with other places of perdition – the Black Hole of Calcutta, or the Kenya Assemblies of God Church at Kiambaa, where thirty-five Kikuyu were burnt alive on New Year's Day 2008 – Scullabogue and its horrors are etched into the landscape and into the subconsciousness of local people.

———

As someone brought up as a Catholic, with accompanying nationalist convictions, I ought to find it disconcerting, to say the least, that wherever I turn my gaze on the various branches of my tangled family tree, on both sides, what emerges from the thickets is waves of panic-stricken Protestants running for their lives. (Actually, of course, as an upholder of diversity and miscegenation, I see this circumstance as encouraging rather than disconcerting.) … And now it's the turn of ordinary Wexford Protestants, farmers and small businessmen, who find themselves on the wrong side, the unromantic and vilified side, when all hell breaks loose around them in that devastating summer. As in the North in 1641 and 1689, they leave their homes in a state of terror with whatever possessions they can carry, and head towards the towns of Enniscorthy and Wexford, possible places of refuge. Among these distraught refugees is a Mrs Barbara Lett of Killaligan, who, recalling the events of that dreadful year at the age of eighty-two, comes out with a heartfelt plea, "May we never more fall into the hands of our neighbours, who are more barbarous than any foreign enemy".

Barbara Lett had cause to sustain the bitterness that bedevilled her even in old age. As well as Scullabogue on June 5th, another massacre of Protestants takes place on Wexford Bridge on June 20th, when prisoners are brought down in batches to be piked to death and thrown into the River Slaney. Among them is Barbara Lett's father William Daniel, or Daniels, who is forty-four years old at the time.

I don't know which of these Letts, if any, are among my actual forebears, so I am going to lay claim to all of them. The *facts* in my possession are as follows. My great-grandfather William Lett was born at Clonleigh in Wexford around 1841. *His* father was a Thomas Lett, to whom we can attribute a birth date at any time between 1810 and 1820. If the former, Thomas could be a son of Benjamin Lett or of his cousin James Lett, an underage rebel related to

Bagenal Harvey on his mother's side, who made himself conspicuous at the Battle of Ross by going about waving a bannerette and egging on the pikemen. … If, on the other hand, Thomas wasn't born until 1820, it's possible that his grandparents were Barbara and Newton Lett. If the last should prove to be true – then my antecedents on both sides take on an alarming symmetry. On one side (my mother's) is an ancestor hanged by a mob outside Lord Aungier's castle in Longford for being a Protestant; and on the other side (my father's) is an ancestor murdered by a mob on Wexford Bridge for the same reason. And here's me – well, there I was, around 1960, speaking Irish with my friends, flaunting forbidden republican emblems like the tiny tricolour I wore in my lapel, losing no opportunity to proclaim an Irish allegiance. On one occasion, I remember, myself and a friend were taken to the pictures by a couple of schoolboys, and the two of us girls spent the whole time talking about British tyranny and Irish impeccability. The climax came when we refused to stand for the British national anthem but sat vehemently glued to our seats, whereupon one of our escorts turned to me with an expression of bewilderment on his face and uttered the following sentence. "I never thought you'd be such a red-hot Republican".

———

And what of my actual Lurgan Republican relations the Tippings? A long-ago episode of apostasy had brought them into the Irish camp, and with every succeeding generation their Irishness was consolidated. It was a grandson of John Tipping and Frances Blacker who, around 1740, married the Esther O'Neill I mentioned earlier, "Turned Papish himself and forsook the oul' cause …", and initiated the rapid slide down the social scale into very lowly farmer/weaver territory. By the time we get to 1798 my particular ancestral Tippings are living in a two-room cottage in a very obscure place called Crossmacahilly in North Armagh on the edge of a great turf bog.

At the same time, a parallel line of descent, the Blacker dynasty, has engendered another William, a great-great-grandson of the Boyne fighter and himself a boisterous advocate of Protestant defenderism. When the great house of Carrickblacker gets a new roof, William Blacker, aged eighteen, comandeers the lead from the old one and sits up all night making bullets to aid the Protestant cause. He is there in the thick of the famous Battle of the Diamond in 1795; and three years later, after the failure of the Rising, William turns up in Lisburn at the head of the Seagoe Yeomanry to witness the hanging of the rebel leader Henry Munro. When the execution is bungled due to the incompetence of the hangman, William weighs in himself to finish the job. In the meantime, of course, the Orange Order as we know it has come into being, partly at William Blacker's instigation, and set about its perennial business of keeping the Croppies down.

(Dear God, is there no end to the agitating revelations coming to light in every ancestral corner I tentatively peer into! What's to become of all my carefully cultivated liberal attitudes? Not only do I have to take [ancestral] responsibility for fighting *against* Sir Phelim O'Neill in 1641, for allying myself over and over with Cromwell in 1649, for defending Derry against the Irish troops of King James in 1689, for fighting under the standard of William at the Boyne, for tending to wounded yeomen along with Barbara Lett in 1798 ... but it seems I'm personally implicated in the founding and nurturing of the Orange Order too. I'm joking. [I think.])

———

Of course we can't help our ancestors – though some of us may like to believe they are indissolubly one thing or the other. But neither can we help acknowledging their inescapable contribution to the end product – that is, ourselves, our way of looking at things as much as the colour of our eyebrows or the shape of our noses. And for most of us, our Protestant noses may be modified by our Catholic eyebrows, or vice versa. What I've tried to do in this short talk is to indicate the extent to which the myth of denominational purity in Northern Ireland *is* a myth. We may not look like a smoothly blended community, either from the outside or the inside – to put it mildly – but I would argue that a blending has occurred, whether we like it or not. I'll end by quoting John Hewitt again – "and what I am is only what they were". That particular poem, "Ulsterman", concludes by taking a much longer perspective than I've managed here: "Kelt, Briton, Roman, Saxon, Dane and Scot,/time and this island tied a crazy knot".

A critic, essayist and anthologist, Patricia Craig was born and grew up in Belfast, and lived for many years in London before returning to Northern Ireland in 1999. She has written biographies of Elizabeth Bowen and Brian Moore, and edited many anthologies including The Oxford Books of Ireland, English Detective Stories, Modern Women's Stories, The Belfast Anthology *and* The Ulster Anthology. *Her memoir* Asking for Trouble *(Blackstaff Press) was published in 2007. She is a regular contributor to* The Irish Times, The Independent *and the* Times Literary Supplement.

IMMIGRANT POETS

—

Hugo Hamilton

A right turn out of silence.

I am standing here in Dublin's City Hall. I am the son of an immigrant and I am launching a book of poetry written by immigrants, called *Landing Places* (The Dedalus Press, 2010). The book has been edited by two immigrants, Eva Bourke from Germany and Borbála Faragó, from Hungary. It is making an important statement on behalf of this country and all the immigrants who live here among us.

This book is a welcome. An inclusion. A recognition of all those new voices from elsewhere. It is announcing the fact that the experience of immigrants matters to us, that we value their words and their views and the impressions they have gathered of this country. It is also saying that we value their memory, the stories they have brought with them, the joy and the pain and the homesickness they have for the places they left behind.

Whenever anyone writes something down, it is an attempt to get a foothold. Every observation we make is a way of understanding our situation and the people around us. For the newcomer, this act of recording and remembering things seems even more vital because they have so many gaps to fill. They have an emptiness beneath their feet which must be explained.

Here in Ireland, we understand the emptiness of migrancy perhaps better than anyone else. There is hardly a family in this country that has not been touched at some point in the past, even now at present, by emigration. We recognise the experience of leaving and putting down roots in a new place. The need to map out the streets and rules and the way things are done in a foreign country.

As a migrant, you appear to leave half your brain behind. So much of your life is transferred into memory. The familiar streets and landmarks of your home town become irrelevant and inaccessible. All the things you grew up with are far away, beyond reach. You take up the challenge of coming to terms with the unfamiliar.

For the newcomer here in Ireland, the rules are not always that easy to work out. The way the Irish do friendship. The way we talk, the way we slag each other. All those detours we take with language. The unspoken rule that what people say in pubs is not meant to be taken literally.

The newcomer has to work all this out for themselves from scratch. There is so much you can take on trust, like the swollen importance of Irish landmarks. All those hidden meanings of history beneath the streets. The GPO, the Abbey Theatre. The Luke Kelly Bridge. So much has to be deciphered. Only the bus to IKEA makes sense at first. The immigrant, in effect, has to rewrite the map for themselves. And it is this mapping, this rewriting, which is making such an exciting contribution to our culture right now.

As the editors of this collection put it in their foreword, the immigrants are redefining the contours of the Irish experience. People from Poland and Lithuania and Somalia and China, trying to figure us out as best they can. And in doing so, they are changing our perception of ourselves. They are adding things to the map – new routes, new ways of doing things, new ways of thinking and remembering and expressing ourselves. New ways of being Irish.

I can understand all this because of my own mother who came here from Germany in 1949. She had the need to write things down, to make her own personal map of this country. She kept diaries all her life. It was her way of finding her feet. A word map which eventually led me to write and to understand this country in a new way, from the inside and from the outside simultaneously. It is a tribute to that immigrant mapping that her diaries are now being kept by the National Library of Ireland.

Each time an immigrant puts pen to paper, it represents an important continuity in the cultural and intellectual growth of this country. It adds new ingredients to the old soup. We are not merely telling our own stories now but also including stories from all over the world, connecting to other places and living multiple cultures first hand.

We begin to understand the outsider in ourselves. The other, as academics like to call it. We know what it's like to be here for the first time, to stand in places that we know well but which become foreign and unfamiliar. To be homesick in Ireland sounds like a contradiction to us, but it now happens all the time.

There is a great line in this new collection written by Annamaria Serrano, of Spanish ancestry, expressing that dislocation perfectly.

"I take a left turn into silence," she writes.

I know the silence she is describing, that inability to trust what you feel. The fear that you will not be understood in this country. The suspicion that your memory as a newcomer is of no relevance here and that only Irish memory and Irish achievements and Irish cultural landmarks are worth talking about. This is echoed by another poet from Romania, Mirela Hincianu, with the words:

Astray on Irish paths,
I whistle a line of homesickness.

Again that image of being lost here without a map, the instinctive, unspoken, social map that people born here have inherited.

This fear of being irrelevant lies at the heart of the immigrant experience. The idea that you are not really entitled to take part or to express yourself or to have an opinion about this country. That you are here to work hard and contribute to the economy, but that your private thoughts are not really of interest.

The present downturn in the economy is perhaps a true indicator of how little the immigrant contribution to this country appears to rank in our vision of the future. When the rich and mighty Irish diaspora were recently invited back to Dublin for a think tank conference held in Farmleigh to discuss ways of rescuing Ireland from its present difficulties, there was a striking absence of any talk about the impact of newcomers to our shores.

If Ireland is to become a base camp of creativity and progress, we must re-imagine our concept of Irishness to include the talent landing here from elsewhere. Apart from the occasional defeat in soccer, we no longer see ourselves as victims, as people who had things done to us. We have become self-confident and placed ourselves on the world map, through cultural expression and innovation. My tribe, my people, as Bono would put it. And maybe now is the time to reassess our cultural fortunes and see ourselves also as a dominant people, allowing the newcomers among us to have their space in the light.

We need to take the famous Irish welcome out of the pub and spread it around more generally. There is nothing to fear. The new voices arriving here will rejuvenate our creative momentum. Like the many immigrants eager to take part in the life of this country, in the restaurants and the hospitals, the poets in this collection bring new energy to our culture in the same way that we Irish have done across the world with our words and our songs and our stories.

The collection includes a poem from a German poet, Andreas Vogel, entitled "Neither Fish nor Fowl", a concept which has resonance for all people of mixed origins. Living in the west of Ireland, he has chosen to write in Irish. The heritage of this country placed in the hands of immigrants for safe keeping. It tells us that there are people coming here who care enough about this country to learn the old language, reaching way back into our history.

These poets are doing something quite new and exciting. They have begun to rewrite our story, our Irishness, reprogramming our identity and our place in the world. They are creating a multi-layered map. They are stating the obvious, saying what we take for granted, seeing things for the first time like children.

Perhaps the clearest example of this immigrant gaze comes from the African poet Oritsegbemi Emmanuel Jakpa. In a poem entitled "Harmattan", he explores the idea of the sandstorm coming across the sea and leaving a film of red dust on the cars and adding a new layer of culture to our own.

But the poem goes deeper than that, because Jakpa has taken it upon himself to rewrite one of the most famous poems ever written by any Irish writer. No Irish person would dare rewrite the poem "Digging" by Seamus Heaney. For us, Heaney has done digging and we cannot attempt to improve on that wonderful connection between the spade and the pen in the hand of the writer.

Only a newcomer to Ireland could have the inspiration and the audacity to write a cover version of such a cultural landmark and to add a new depth of meaning which may not have been available to us in the original poem. The new version imagines the landscape being dug up afresh, the sod being turned over once more by immigrant digging.

> ... the excavations and makings
> of our blood, and drainage.

All that Ireland is experiencing right now, expressed in this one line. Our blood and drainage. It says what we cannot say for ourselves without the help of newcomer clarity. And perhaps this book marks a striking new phase of Irish culture. It's a blood transfusion. An irrigation. To turn the earlier sentence from Annamaria Serrano on its head, it may also be ... a right turn out of silence.

Hugo Hamilton was born in Dublin in 1953, of Irish-German parentage. He is the author of one collection of short stories and seven novels, most recently Hand in the Fire *(Fourth Estate, 2010). He has also published an acclaimed memoir of his Irish-German childhood,* The Speckled People *(Fourth Estate, 2003), and a sequel,* The Sailor in the Wardrobe *(Fourth Estate, 2006). He lives in Dublin.*

CAIFE DUBH

Alex Hijmans

Bhí dea-shampla gann in Vale Das Pedrinlas.

Cipíní. Mhothaigh Rosangela dos Santos thart i ndorchadas a cistine, mar a thug sí ar an gcúinne sin dá teachín ina raibh an sorn. Ba sheomra suite agus codlata a bhí sa chistin freisin. Ar oícheanta nach raibh sé ag rith thart do na deartháireacha Nogueira, chodail a mac Jonas ann, ar sheantolg donn de chorda an rí. Bhí leaba Rosangela féin sa tseomra cúil, an t-aon seomra eile sa teach.

Ar leac na fuinneoige a bhí na cipíní. Las sí iarta tosaigh an tsoirn agus lean ar aghaidh lena tóraíocht, le cabhair sholas gorm an gháis. Gearradh an leictreachas an tseachtain roimhe agus ní bhfaighfeadh sí a páigh go ceann coicíse, ach ar a laghad bhí gás fágtha sa bhuidéal. In aice leis an doirteal, d'aimsigh sí an pota espresso beag a thug Jonas di Lá na Máthar. Nuair a bhí sé fós ag obair i monarcha na málaí plaisteacha.

Ghlan sí an gléas go cúramach, thriomaigh é agus líon an bolg le huisce. Thóg sí caife anuas ón tseilf os cionn an doirtil. "Santa Barbara – Sármheascán" a bhí clóite ar an bpacáiste dearg agus bán. Chuir sí dhá spúnóg chothroma de chaife meilte isteach sa scagaire. Sármheascán mo thóin, a smaoinigh sí. Bhí blas tarra ar an stuif.

Dá mbeadh airgead le spáráil aici uair éigin chuirfeadh sí ceist ar Oswaldo, úinéir an tí chaife inar oibrigh sí, sa tseanchathair ard, an bhféadfadh sí roinnt pónairí a mheilt di féin chun tabhairt abhaile. "Ór Dubh" a bhí ar na pónairí a bhí in úsáid in Café Carmo. Níor bhréag a bhí san ainm – dar leis na custaiméirí, ar a laghad. Ní raibh blaiseadh faighte aici féin de ach uair amháin, níos mó ná ceithre bliana ó shin, ar a céad lá oibre. Ochtó reais a bhí ar chileagram "Ór Dubh" – glanpháigh seachtaine, i bhfocail eile. Ach tháinig na pónairí as Maragogipe, ceantar na bplandálacha caife ab fhearr in Bahia. Dar le Oswaldo nár díoladh ach sciar beag bídeach de na pónairí sa Bhrasaíl féin. Easportáladh an chuid ba mhó chuig an Eoraip, áit a raibh meas ag na daoine ar chaife maith. Agus airgead chun íoc as.

Dhún sí an pota espresso agus chuir ar an teas é. Chaith solas an gháis scálaí aisteacha ar na ballaí garbha. Bhí ciocáid ag sioscarnach taobh amuigh. Bhí gleo agus gáire i mbeár Antônio Mhóir. Bhí boladh dramhaíola ón gcanáil.

Mheall grianghraf a bhí crochtha os cionn an tsoirn a haird. Ba é an t-aon ghrianghraf sa tseomra é, portráid di féin agus Jonas a tógadh ar an lá a bhog siad go Vale das Pedrinhas. Ach bhí sé chomh dorcha sa chistin nach raibh sí in ann a dhéanamh amach ach súile gealbhána Jonas. Fiacla fáiscthe ar a chéile a mheabhraigh na súile sin di.

Cén fáth nár leispiach í, cosúil leis an *gringa* ar labhair sí leí sa chaife an tráthnóna sin? Dá mba leispiach í ní bheadh Jonas tagtha ar an saol agus ní bheadh sí féin ina suí anseo lena croí ina hucht, oíche i ndiaidh oíche, ag fanacht le drochscéal éigin – gur mharaigh na póilíní nó ceann de na buíonta eile é.

Chuaigh creathadh tríthi. Níor cheart di a leithéid de smaointe a ligean isteach ina haigne riamh arís. Leaid maith é Jonas, buachaill meabhrach. Ní raibh ann ach go raibh sé furasta é a chur ar seachrán. Go háirithe ag an mbeirt dheartháir Nogueira sin. Dea-shampla, b'shin an méad a theastaigh uaidh – ach bhí dea-shamplaí gann in Vale das Pedrinhas.

Ba bhean fhionn í an *gringa* a bhí ag tarraingt ar thríocha agus a d'ól cupán caife in Café Carmo go rialta. Bhí sé ráite aici go mion minic cárbh as di ach rinne Rosangela dearmad i gcónaí. Go hiondúil, thagadh sí isteach leis an gcailín a raibh sí ag siúl amach leí, bean óg dhorcha as Bahia a raibh folt gruaige i stíl Afracach aici, ach tráthnóna inniu bhí an *gringa* léi féin. Bhí an gúna samhraidh dearg a bhí á chaitheamh aici báite in allas. D'ordaigh sí cappuccino agus shuigh síos ag ceann de na boird ar an mbalcóin.

"Cá bhfuil do chailín?" a d'fhiafraigh Rosangela nuair a thug sí an caife anall di.

"Sa choláiste. An Ollscoil Fheidearálach."

"An Ollscoil Fheidearálach?" D'fháisc Rosangela a lámha le chéile agus chaith féachaint bhuíochais chun na bhFlaitheas. "Cén t-ábhar atá á staidéar aici?"

"Innealtóireacht Shibhialta agus Béarla."

Tráthnóna ciúin a bhí ann agus ní raibh Oswaldo thart. Rinne Rosangela rud éigin nach ndéanfadh sí de ghnáth. Shuigh sí síos.

Sa chuan, nach mór céad méadar faoi bhalcóin an chaife, bhí dhá long paisinéara ceangailte le céibh. Lá breá éigin, b'aoibhinn le Rosangela seoladh thar toinn ar a leithéid, ach an tráthnóna seo d'fhág radharc na mbád bán brónach í. Go minic, níor fhill na daoine a d'imigh orthu. Rug sí ar lámh na mná finne.

"An féidir liom rud éigin a rá leat?"

"Ar ndóigh, Rosangela."

Bhí rud beag náire uirthi go raibh a hainm ar eolas ag an *gringa* agus nach raibh a hainm siúd ná ainm an chailín a raibh sí ag siúl amach leí ar eolas aicise, ach chuir sí cúl ar a míchompord. Labhair sí go réidh agus go soiléir le go dtuigfeadh an *gringa* an rud a theastaigh uaithi a rá.

"Tá mé an-bhródúil as do chailín." Rug sí ar chraiceann bog, dorcha a láimhe féin idir a dá mhéar. "Ní fhaigheann ach fíorbheagán daoine ar dhath s'againne an seans dul chuig an ollscoil. Le bheith fírinneach, ní chríochnaíonn a bhformhór an mheánscoil, fiú amháin. Bíonn orthu obair. Murach gur chuir mise brú air, ní bheadh an Ardteist déanta ag mo mhac féin, Jonas, ach an oiread. Ba bhreá liom dá bhféadfadh sé dul chuig an ollscoil, ach ceapann sé nach féidir lenár leithéidí …"

Chlaon an *gringa* a ceann.

"Tá scoláireacht de chuid an stáit ag Fernanda. Murach sin, ní bheadh sí in ann dul chuig an ollscoil riamh. Is as Peripery í."

Fernanda, b'shin an t-ainm a bhí ar an gcailín. Peripery. Dia á réiteach. Sluma bocht díreach cosúil le Vale das Pedrinhas, ach ag imeall an domhain. Sa doimhneas, lig bonnán cheann de na longa trí bhleaist fhada, uaigneacha as. D'aimsigh súile Rosangela súile na mná finne.

"Más é do thoil é, ná tabhair Fernanda leat go dtí an tír gurbh as duit. Fág anseo í. Tá a leithéidí ag teastáil go ró-ghéar uainne, chun an bealach a thaispeáint dúinn. Ní thosóidh rudaí ag athrú sa tír seo go dtí go mbainfidh níos mó daoine ar dhath s'againne barr an dréimire amach."

Mheasc an *gringa* a cappuccino go mall. Ba chosúil go raibh sí faoi gheall ag an dath donn a bhí ag teacht ar an gcúr bán. Sa chiúnas a lean, chuala Rosangela Jonas ag pléascadh in athuair.

———

"Staidéar? An bhfuil tú ag magadh fúm? Mo leithéidse, fear gorm, ag an gcoláiste! Ar chuala tú a leithéid riamh? Níl muid in ann an diabhal leictreachas a íoc fiú amháin!"

Agus an leite á hithe acu, bhí sé ráite aici leis go raibh air post nua nó cúrsa oiliúna a lorg, ceann den dá rud. Chaith sé a spúnóg leis an mballa agus d'éirigh.

"Focáil é, tá an tír seo i bhfiacha linn!"

I bhfaiteadh na súl bhí sé ina sheasamh os a comhair. Mheabhraigh sé a athair di ar feadh soicind, ach chuir sí an ruaig ar an smaoineamh sin. Ní bhuailfeadh Jonas riamh í. Chuimil sé bos a láimhe ar a leiceann agus rug sé ar a leiceann féin lena lámh eile.

"Sa chraiceann seo atá an cruthúnas! Ár sinsir a thóg an tír seo, mar sclábhaithe. Ar feadh trí chéad bliain! Agus inniu féin níl meas madra fós orainn. Déarfaidh mé seo leat: tugann an tír seo dúinn a bhfuil ag dul dúinn, nó doirtfear fuil. Is ea is luaithe is ea is fearr."

"Bíodh ciall agat."

"As ucht Dé ort a mham, an gcaithfidh mé scéal na monarchan a insint duit arís?"

Bhí an scéal sin de ghlanmheabhair aici. Tugadh bata agus bóthar do Jonas ag monarcha na málaí plaisteacha toisc gur dhiúltaigh sé carr an bhainisteora a ní. Níor chuid de phost an fháiltitheora é carranna a ní, dar le Jonas, ach dúirt an bainisteoir gur bhain jab fánach ar bith le hobair dhuine ghoirm.

An oíche sin, rinne Jonas a chéad jab do na dearthaíreacha Nogueira.

———

Bhí an ceann ba mhó de na báid ag imeacht ón gcéibh agus ag tabhairt aghaidh ar bhéal an phoirt. Lean an *gringa* an long lena súile. Bhí a cupán leathfholamh.

"Tá súil agam go dtuigeann tú," a dúirt Rosangela.

"Labhair muid féin faoi seo go minic."

Bhí Rosangela ar tí ceist a chur ar an mbean cén cinneadh a bhí déanta acu, ach mhothaigh sí go raibh sí tar éis a srón a chur isteach i ngnóthaí nár bhain léi an iomarca cheana féin. D'éirigh sí.

"Bronntanas uaimse an cappuccino seo."

"Rosangela, fan nóiméad." Bhain an *gringa* peann agus páipéar amach as a mála láimhe. "Seo uimhir Fernanda. Cuir glao uirthi má theastaíonn uait go labhraíonn sise le do mhac. Faoi chúrsaí ollscoile."

Uimhir áitiúil a bhí ann. Ní thabharfadh Oswaldo faoi deara riamh é dá n-úsáidfeadh sí fón an chaife.

———

Ina cistin dhorcha chuala Rosangela an caife ag bruith sa phota espresso beag. Mhúch sí an gás agus líon a muga briste. Bhí an caife dorcha agus searbh, cosúil le Jonas. Anocht, d'fhanfadh sí ina suí go dtí go dtiocfadh sé abhaile, pé am sin. Bhí nuacht aici dó.

Rugadh Alex Hijmans i Heemskerk, An Ísiltír, i 1975 agus rinne sé staidéar ag Ollscoil Utrecht agus Ollscoil Náisiúnta na hÉireann, Gaillimh. Is é údar shaothar neamhfhicsin, Favela (Cois Life, 2009) é, agus údar na gcéadta tuairiscí nuachta, léirmheasanna agus colún do Foinse, Gaelscéal, Comhar agus The Irish Times. Foilsíodh a chuid gearrscéalta in Comhar (i nGaeilge) agus in Crannóg (i mBéarla). Foilseoidh Cois Life a chéad úrscéal, Aiséirí, go luath i 2011. Tá sé anois ina chónaí i Salvador, An Bhrasaíl.

DÁNTA GRÁ

Cathal Ó Searcaigh

LAOITHE CUMAINN

(i) Gabháltas

Níl uaim, a chroí, ach a bheith ag saothrú chréafóg
    chumhra do cholla;
mo mhéara ina mbuíonta fómhair i bpáirc chruithneachta
    d'uchta, póg ar phóg
ag oibriú na gcríoch úd ó do chorróga ionúin go cluthar
    na gceathrún, óir is tusa, a rún,
cion beag mo dhúthrachta, tír thalamh m'ansmachta,
    m'fhód dúchais i gcéin.

Níl uaim ach cur faoi agus cónaí idir ardmhín do bhrollaigh
    agus learg do mhásaí;
faoi scáth an chrainn daraí mar a bhfuil an t-úll gránach i mbláth,
    is ann a b'ionúin liom lonnú.
San áit a bhfuil meas ar gach sórt ba deas ann mo ghabháltas,
    ag lí is ag súrac ó mhíodún go mám,
bheadh tarraingt mo láimhe agam de chaor is de chraobh,
    tá mo neamh faoi do choim.

(ii) Na Tiarnais

An fear álainn seo i mo bhachlainn, aoibhinn liom
    mos cumhra a chraicinn.
Ná labhair liom ar chumhráin na hAraibe is mé
    i láthair mo leannáin.
Tig a chumhracht thíriúil, a mhos spreagúil ó chré
    na gcúlchríoch is ó anáil an Aibreáin.
Tá boladh na spéire agus boladh na húire i mbuí aibreoige
    a phóige, i gcrann péitseoige
a bharróige. Ola ar mo chroí blas olóige a bhrollaigh,
    boladh almóinne a chorróige.

Nuair atá sé ina luí liom bímse ag déanamh lúcháire
    as spréach oíche a cholainne –
solas glé a ghlúine, an ghealach ag lonrú ina iongan,
    réalt reatha a gháire.
Nuair atá sé ina luí liom is liomsa na Tiarnais, gach dúil
    aoibhnis ina chumasc cré.
Tig mo bheatha chugam ó ghrásta a bhéil is ó shuáilce a ghabhail,
    ó mhil órga na mbeach
i gcuasnóga a bhriathra, óna dhá úll ghlórmhara
    as a bainim an sú go cíocrach.

(iii) Tír gan Teorainn

Abhainn ag titim le heas atá i dtapú a chroí. Is deas liom luí
    ar bhruach a bhrollaigh, mo chluas
le tuaim an tsrutha, a bhradán beatha ag cuisliú óna leaba
    folaigh i measc na ngiolcach.
Nuair a bhíonn sé ag suirí liom éiríonn stoirm i gcnoic a chéadfaí
    a fhágann é spreagtha, ionas
gur oíche ghaoithe atá i dtarraingt a anála, gur siabadh sneachta atá
    i ngealadh a láimhe ar mo chneas.
Eisean mo ghabhal gaoil, an t-úll is umhaile ar chrann mo dhúile,
    an pór a shantaím, an phréamh ar a mbeathaím.

Nuair atá sé sínte le mo thaobh níl ríomh ar a bhfuil
    den chruthaitheacht faoi mo réir.
Tá iolar i spéir a shúile agus nathair i bhféar a ghabhail
    agus is liomsa ina iomláine limistéar
líonmhar seo a cholainne; a bhfuil den domhan ina bharróg,
    a bhfuil de Neamh ina phóg.
Aoibhinn liom a bheith ag siúl ó dhoire coille a chinn go cinnfhearainn
    a bhoinn; tír gan teorainn
fearann seo m'ansachta, a bhfuil agam den tsaol agus a bhfuil
    ag teastáil uaim den tsíoraíocht.

RACHT SHÍLE AN TSLÉIBHE

Rachad chun cainte
le mná feasa
agus le cailleacha cártaí;
le lucht na hasarlaíochta
a bhfuil ealaín dhubh
na gintlíochta ar a dtoil acu.
Ceisteodh iadsan
a bhfuil eolas acu
ar lusanna sí, ar luibheanna seirce.
Bead 'mo shaineolaí ar phisreogaí.
Bainfead leas
as saíocht draíochta
na mbriathra;
as an diabhaldánacht
atá le fáil i bhfilíocht.
Déanfad briochtaí na ndraoi
a chanadh
ag binn do thí
am marbh na hoíche.
Déanfad é seo agus tuilleadh
ionas go dtitfidh tú
i ngrá liom arís
tusa a bhris mo chroí.

Cnuasód sliseoga d'ingne
agus dlaoithe dlútha d'fhoilt,
ribí úrnua ó do rásúr,
do chiarsúr póca.
Déanfad a mbruith
le bánú an lae
ag bun na dtrí gcríoch.
Ofráilfead iad
oíche rédhorcha
ar charraig aifrinn
amuigh ar bhinn.
Canfad ortha na seirce

agus mé ag déanamh
na seacht dtimpeall
mórthimpeall do thí,
gan fiacail a chur i bhfocal
gan cos a chur amú
ach é a chanadh
díreach mar a ordaíodh é.
Déanfad é seo agus tuilleadh
ionas go dtitfidh tú
i ngrá liom arís
tusa a bhris mo chroí.

Agus mura ngéillfir
a chuid bheag den tsaol
is baol go n-imreod
diamhra agus rúin
ar an tsoibealtán mná
a choinníonn tú
ar teaghrán ina leabaidh.
Déanfad geimhreadh dá samhradh
agus dálach dá Domhnach.
Coinneod bruíon léithe, tuirseod í.
Cuirfead oibriú aicíde
ar mhíne a craicinn
ionas gur beag an tsócmhainn duit í.
Ó cuirfead thar do thuairim thú
sa chruth nach bhfanfad, a mhian,
i mbun na measarthachta níos mó.
Gan aon agó
beidh muid ag déanamh scléipe
mar a ba ghnách linn fadó
amuigh faoi bhéal an aeir.
Titfidh tú i ngrá liom arís
mar is dual duit, a dhíograis,
cneasóidh tú mo chroí.

AISLING SHÍLE AN TSLÉIBHE

A bhuachaill ón Éirne, rachainn
soir na coilleadh craobhaí leat
ag piocadh sméara agus cnó;
is faoi bhun an chrainn chaorthainn
nó i gclúid aoibhinn na dtor
dhéanfainn súgradh leat agus só.

A Jimmy mo mhíle stór, d'fhuighfinn
baile seo na ndeor is cé bith pé
ród ar domhan a rachfá, bheinnse le do thaobh,
'd'aoibhniú le mil úr na bpóg.
Ó mheallas mé le briathra deasa do bhéil
is measa liom tú ná céad d'fheara an tsaoil.

A Dhomhnaill Óig na gnaoi, b'aoibhinn
bheith i leabaidh leat ag spraoi
ag lí do choim chumhra fraoigh
is ag muirniú do mhása cnocach cruinn
is d'imeoinn an bóithrín aicearrach
soir go cnó na gcaorach, dá mbeifeá ann.

A bhuachaill Caol Dubh, chaillfinn
mo chlú leat go brách
ach a bheith socair gach oíche
le tiubh do shliasaide, a ghrá.
Ó shiúlfainn an ród doiligh leat
agus cíor coiligh orm le bród asat.

A Éamainn a' Chnoic, d'ainneoin
drochshíonta agus doichill
luífinn leatsa, a thréanfhir,
i móinte na cíbe duibhe,
is ní chreathnóinn roimh an bhás
is mé sínte le do mhása.

A bhuachaillí áille an amhráin
cé fada sibh faoi fhód i gcré, níl sceo
ar bhur ngné ná meath ar bhur ngéag
óir i mbuaine na héigse tá sibh beo go deo,
is de lúth an fhocail is de léim an cheoil
tig sibh chugam i dtaibhreamh dea-bheo

i bhfuil agus i bhfeoil.

Is é Cathal Ó Searcaigh Eagarthóir Gaeilge na hirise seo. Ar na himleabhair is déanaí uaidh tá Seal i Neipeal *(2004), dialann taistil,* Gúrú i gClúidíní *(Cló Iar-Chonnachta, 2006), imleabhar filíochta. Foilsíodh a chuimhní cinn,* Light on Distant Hills *(Simon and Schuster), i 2009.*

I GCÓNGAR I GCÉIN

Pádraig Standún

Bhí taibhsí sa teach sin.

Chuaigh Adrienne ar tacsaí uisce ón Aerfort. Bhí a fhios aici ón treoirleabhair go raibh an bealach taistil sin daor, ach bhí sé sciobtha. Bhí eitleán Aer Lingus deireanach go maith ag tuirlingt i Veinéis agus níor theastaigh uaithi a bheith ag iarraidh an t-árasán a bhí curtha in áirithe aici a thóraíocht sa dorchadas. De réir an riomhphoist a fuair sí ón úinéir, d'fhágfadh an tacsaí uisce ag doras an fhoirgnimh í agus bheadh fear roimpi lena mála a thabhairt suas staighre. Bhí an t-árasán ar an tríú urlár. Cé go raibh drogall uirthi roimh na céimeanna, bhí sé ráite ar an mbróisiúr gur fiú an radharc ón mbarr chuile chéim acu.

Bhí an t-eitleán sách corraitheach nuair a bhí na hAlpa á dtrasnú acu agus bhí áthas ar Adrienne a bheith ar ais slán sábháilte ar an talamh arís nuair a thuirling siad. Is beag an chuimhne a bhí aici go mbainfeadh an tacsaí uisce creathadh den chineál céanna aisti. Sin é go díreach a tharla nuair a d'fhág siad an caladh beag le taobh an Aerfoirt agus tháinig scuaine bád ina dtreo, an t-uisce á chorraí acu agus a tacsaí á chur ag preabadh. Ní raibh sa tacsaí ach í féin agus an tiománaí. Shuigh sí isteach sa chábán, ach is beag an mhaith a rinne sé sin. Chaill sí a greim nuair a bhuail siad maidhm níos mó ná an chuid eile agus thit sí siar ar a droim ar cheann de na suíocháin.

Bhí aoibh an gháire ar bhéal an tiománaí nuair a bhreathnaigh sé siar uirthi, ach ba léir ansin gur thuig sé go raibh sí scanraithe. Chuir sé moill ar an mbád, agus shín sé lámh siar le breith ar lámh Adrienne. Tharraing sé aníos ina seasamh í. Dúirt sé rud eicínt in Iodáilis nár thuig sí, agus nuair a chuir sí é sin in iúl d'iompaigh sé ar an mBéarla: "*Catch.*" Rug sise ar an ráille a thaispeáin sé di. Cé nach raibh cloiste aici ach focal amháin chuir sé iontas uirthi gur "*Ketch*" an leagan a bhí ar an bhfocal sin. D'iarr sí de an in Éirinn a d'fhoghlaim sé a chuid Béarla. D'imigh a fhreagra le gaoth agus dhírigh an tiománaí a aird iomlán ar obair a bhí ar siúl aige. Bhí siad imithe as an treoirlíne a bhí marcáilte amach ar bharr an uisce le píosaí móra adhmaid, ach más aon rud é is lú an creathadh a bhí ar an mbád dá bharr mar nach raibh na báid eile chomh gar. Cé nach raibh an oíche tite go huile is go hiomlán bhain Adrienne taitneamh as an radharc a bhí amach roimpi, agus bhraith sí go raibh an cinneadh ceart tógtha aici teacht chuig an mbaile seo. Idir fhoirgintí, soilsí agus uisce bhí draíocht ag baint leis an áit seo a cheap sí, agus ag an nóiméad sin bhraith sí go mba chuma léi muna bhfeicfeadh sí an baile go deo arís.

Ní raibh an baile ina bhaile níos mó, a smaoinigh sí, ach ar a laghad bhí áit aici le gabháil dá dtogródh sí filleadh arís. Fuair sí an teach i gCill Mhantáin nuair a scar sí féin agus Patrick. Agus tuige nach bhfaigeadh? Sa teach sin a rugadh is a tógadh í, agus cén fáth a mbeadh sé aige féin agus a leannán? Bhí sé drogallach go maith an teach a fhágáil aici. B'fhearr leis tuilleadh airgid a thabhairt di, fortún i ndáiríre, ach an teach a choinneáil. In ainneoin gur sa teach sin a thruaillligh seisean a ngrá agus a bpósadh tríd an mbitseach sin a thabhairt isteach ina leaba siadsan, ní raibh sí sásta géilleadh. Bhí taibhsí sa teach sin nach raibh sí sásta scaradh leo, taibhsí a muintire, taibhsí a saoil, taibhsí an ghrá a bhí aici do Phatrick tráth. Níor theastaigh uaithi filleadh chuig an áit sin go fóill, ach lá eicínt, cá bhfios? Ancaire, scaoilte go fóill ach greamaithe faoi thoinn go dtí go dtiocfadh sí ar ais lá eicínt. Idir an dhá linn thabharfadh sí faoi dhúshlán nua i gcathair úr, i dtír eile ar fad.

"Ró-fhada a d'fhan mé sa díog dhorcha," a smaoinigh Adrienne, í ag cuimhneamh siar ar an mbliain ó thit a pósadh as a chéile. D'imigh Patrick uirthi dul ar ais chuige arís is arís eile, ach ní fhéadfadh. Bhí Síle ag súil le páiste a fir. Ba chuma leis, a dúirt sé. D'fhéadfadh sé a bheith ina athair don pháiste gan a bheith pósta lena máthair. Scéal eile a bheadh ann, b'fhéidir, dá mbeadh gasúir acu féin, ach níor theastaigh sé sin uaidh. Go fóill, ar sé. Timpist a bhí i gceist leis an gceainnín eile. Ní raibh Síle sách cúramach. Shíl Patrick go mbeadh chuile chailín ar nós Adrienne, go dtabharfadh sí aire do na cúrsaí sin. Cá bhfios nach cleas a bhí á imirt aici?

Chuir Adrienne na smaointí sin glan amach as a hintinn. Nach raibh sí leis na néalta dubha a choinneáil uaithi níos mó? Dhíreodh sí a haird ar an uisce, ar na báid, ar na soilsí, ar an saol a bhí roimpi amach. Ach shleamhnaigh an seansaol ar ais in ainneoin a cuid iarrachtaí dearmad a dhéanamh. Ar scar siad óna chéile ró-obann? Ar eitigh sí a seans páirt a bheith aici i bpáiste a fir a thógáil, fiú dá mba le bean eile é nó í? B'fhéidir nach mbeadh deis aici a bheith ina leath-mháthair féin d'aoinneach agus cúig bliana déag agus fiche caite aici cheana? Shíl sí ansin gurb é tús agus deireadh an scéil nó go raibh sí i ngrá le Patrick i gcónaí, agus nach bhféadfadh sí grá a thabhairt d'aon fhear eile go deo. Dá bhfeicfeadh sí a shúile in éadan a ghasúir nach dtitfeadh sí i ngrá leis an bpáiste sin ar an toirt? Ach bhí a hancaire tarraingthe anois aici.

"Táim ag tosnú as an nua," arsa Adrienne léi féin nuair a bhí an bád ag dul isteach ón uisce oscailte i gcanáil idir tithe. Is ar éigin a bhí ar a cumas gach a bhain leis an áit tarraingteach seo a shú isteach ina mothúcháin agus a smaointe. B'aisteach an baile ina raibh na sráideanna ina n-abhainn nó ina bhfarraige. Bhíodar ag dul faoi droichid áille le daoine ag siúl trasna orthu. Bhí báid mhóra agus báid bheaga ag teacht ina dtreo agus tuilleadh ina ndiaidh. Shílfeá gurb é an chéad rud a tharlódh nó timpist, ach in ainneoin chomh gar is a bhíodar dá chéile, thángadar slán i gcónaí de réir gach cosúlacht.

D'aithin Adrienne an abhainn is mó a théann ar nós nathair nimhe trí lár na cathrach ón léarscáil nuair a bhí sé bainte amach ag an tacsaí uisce. Bhí a fhios aici nach raibh siad i bhfad ó na hárasáin agus thosnaigh sí ar a málaí a bhí scaipthe ag síorluascadh an bháid a bhailiú le chéile. Ní raibh an bád ag imeacht chomh sciobtha anois, torann an inill níos isle. D'fhiafraigh an tiománaí di i mBéarla arb í a céad uair i Veinéis í. Chuir a mháistreacht ar an teanga iontas uirthi agus iad i mbun a gcomhrá, ach ghlac sí leis gur de bharr a bheith ag síorchaint le turasóirí a bhí sé amhlaidh. Tharraing sé a bhád isteach chuig cé bheag ag doras tosaigh na n-árasán, áit a raibh déagóir ag fanacht lena málaí a iompar. Tháinig beagán díomá ar Adrienne nuair a chuala sí an fear óg ag caint leis an tiománaí. Níor thuig sí focal cé go raibh sí ag iarraidh Iodáilis a fhoghlaim ó leabhrán agus téip le trí mhí.

Níor bhraith sí leath chomh dona nuair a thosnaigh an déagóir ag caint i mBéarla breá léi, í ag ceapadh nach mbeadh cúrsaí teangan ró-dhona dá mbeadh an oiread sin Béarla ag daoine áitiúla. Níor lig an fear óg léi aon rud a iompar ach a mála láimhe, na málaí troma ceangailte le chéile le rópa trí na láimhíní aige, é ag imeacht roimpi ar nós miúil a d'fheicfeá i scannán, a cheap sí. Thug sí síntús flaithiúil dó as ucht a chuid oibre, sular fhág sé. Chaith sí uaithi a bróga agus thosnaigh sí ag siúl thart ag breathnú ina timpeall san árasán, a baile nua.

Teaichín beag déanta le haghaidh bábóige a chuir an t-árasán i gcuimhne d'Adrienne. Bhí gach rud beag, cistin, áit suí, áit chodlata, leithreas agus folcadán, na pictiúirí ar na ballaí, na hornáidí ar na seilfeanna, na cathaoireacha féin, cé go raibh siad sách mór le suí orthu. Bhí gach rud beag, ach bhí siad go hálainn. Bhuail sí a lámha lena chéile mar a dhéanfadh sí nuair a bhí sí ina cailín beag nuair a thagadh Deaide na Nollag nó nuair a thabharfadh a hathair féirín beag ar ais óna thaistil. Bhíodh sé as baile trí nó ceithre oíche sa tseachtain, ag dul ó bhaile go baile ag díol éadaigh chuig na siopaí. Shíl sí ag an am gurb iontach an saol a bhí aige le hais a máthar, é ag fanacht in óstáin, agus ag ithe i mbialanna. Malairt tuairime a bhí aici nuair a thaispeáin sé cuid de na háiteacha sin di níos deireanaí.

Ní raibh deartháir nó deirfiúr aici, agus is mar chara níos mó ná tuiste a bhreathnaigh sí ar a máthair, iad ag siopadóireacht lena chéile, an tuiscint chéanna acu ar stíl. Nuair ba dhéagóir í, ar ndóigh, dhiúltódh sí don rogha a dhéanfadh a máthair, fiú má thaithin sí léi. Bhí sé mar threoir aici go gcaithfeadh daoine fásta a bheith mícheart faoi chuile rud ag an am. Chaith sí dathanna aisteacha, ina héadaí agus ar a gruaig. An rud ba mheasa nó nár chuir na roghanna sin a máthair nó a hathair as a meabhair. "Má thaitníonn sé leatsa," an treoir a bhí acu. Ghlac siad leis gur bhain na dathanna agus na leaganacha aisteacha ar a cuid éadaigh lena gairm mar ealaíontóir. Má bhí sise sásta leis an saol bhíodar sin sásta.

Bhí sí sásta agus sona go dtí gur rug an deamhan ailse ar a máthair in aois a deich mbliana agus dhá scór. Bhí sí sé mhí ag fáil réidh le n-imeacht, a bolg ag fáil ataithe, an fheoil ag imeacht ón gcuid eile dá cnámharlach. Shílfeá i dtosach gur páiste a bhí á iompar aici, ach bás seachas breith a bhí inti istigh. Ghlac sí leis go réidh, ró-réidh a cheap Adrienne. Ach céard eile a d'fhéadfadh sí a dhéanamh? Ghlac sí le cóir leighis, agus nuair nár oibrigh sé sin chuaigh sí ó scrín go scrín ag tóraíocht míorúilte. Má bhí míorúilt in ann, b'fhéidir gurb é an chaoi ar ghlac a máthair leis, go stóiciúil.

D'oibrigh Adrienne an cleas ar bhain sí úsáid as nuair a theastaigh uaithi brón an bháis a choinneáil uaithi. Thug sí a máthair chun cuimhne mar a bheadh sí beo san árasán in éindí léi. Chuir sí ina suí i súil a cuimhne í, suite trasna uaithi ar cheann de na cathaoireacha beaga boga, gloine fíona ina lámh aici, ar nós go raibh sí ansin lena beo. Ní dheachaigh sí níos faide leis. Bhraithfeadh sí aisteach a bheith ag caint le taibhse, fiú le taibhse an té ab ansa ina saol. Thosnaigh sí ar cuid dá málaí a fholmhú, fios aici nach mbeadh sí ag bogadh ón áit sin go ceann tamaill mhaith.

D'oscail sí buidéal fíona a cheannaigh sí ag an aerfort. Dhoirt sí gloine agus sheas sí amach ar an mbalcóin. Chuir ciúnas na háite iontas uirthi. Smaoinigh sí ansin nach raibh gluaisteán nó leoraí nó truc feicthe ó tháinig sí chun na háite. Thosnaigh sí ag gáire ansin nuair a chuimhnigh sí ar fheithiclí mar sin ag iarraidh imeacht ar bharr an uisce. Sheas Adrienne ag breathnú trasna amach ar an trácht a bhí ar siúl gan stopadh gan staonadh ar an gcanáil, báid bheaga, báid mhóra, báid den déanamh gondala, ag gluaiseacht siar is aniar, suas is anuas. Rinne sí iontas cá raibh an tiománaí tacsaí a thug go ceann cúrsa í faoin am seo, cé mhéid aistear a bhí déanta ó shin aige, cé mhéid daoine a casadh air i rith an lae. Bhraith sí go raibh go leor le foghlaim aici faoin mbaile iontach seo a bhí chomh difriúl ó chuile áit a bhfaca sí riamh cheana ina saol.

———

Bhí Giorgio ina shuí ar na céimeanna ag doras a áit chónaithe, a chosa san uisce, a bhád ceangailte ag an gcé bheag, é ag faire ar an gcéad ghlaoch tacsaí eile. B'iad na hóstáin ina thimpeall is mó a ghlaoigh air, mar go raibh praghsanna áirithe socruithe acu le turasóirí nó lucht gnó a thabhairt chuig an aerfort, chuig Cearnóg Naomh Marcas, an Músaem Guggenheim nó áit cháiliúil eicínt eile. Chaillfeadh sé an gnó muna mbeadh sé in am nuair a bhí sé saor agus i mbun dualgaisí. Bheadh a bhád ina spota beag ar a scáileán san ósta nuair a bheadh sé amuigh ar an uisce, daoine á dtabhairt ó áit go háit aige, ionas go mbéifí in ann glaoch air dá mbeadh daoine nó ábhar le bailiú gar don áit ina raibh sé ag am ar bith.

Cibé cén fáth é bhí sé deacair air an bhean is deireanaí a thug sé ón aerfort dá hárasán a chur as a smaointe. Cén chaoi ar aithin sí a canúint i mBéarla? An raibh seans ar bith gur bhain sí leis an dream a bhí sa tóir air? Drochsheans, a cheap sé, cosúlacht uirthi go raibh sí soineanta. Chuimhnigh sé uirthi agus í caite siar ar a droim ar shuíochán an bháid nuair a bhuail siad tonn. Ní pictiúr de spíodóir nó bhleachtaire a bhí ansin. Ach ní bheadh a fhios agat, a cheap sé. Chaithfeadh duine a bheith cúramach i gcónaí. B'fhada ó chuir aon rud a bhain leis an seansaol isteach air. Bhí rudaí leathshocruithe sa mbaile, sórt síochána ann in ainneoin an tseicteachais. Ach bhí a leithéid féin i liombó i gcónaí, na daoine a cuireadh i leataobh ar mhaithe lena sábháilteacht, daoine mar é a bhásaigh, mar dhea, ionas nach é an bás dáiríre a bheadh i ndán dóibh.

Bhí pictiúirí óna shochraid féin feicthe ar an idirlíon aige. Cibé cén fáth é thaispeáin siad a chónra ag teacht amach ón séipéal arís is arís eile ar na cainéil idirnáisiúnta nuair a bheadh tagairt do chúrsaí síochána i dTuaisceart Éireann. Bhí sé ar fail ó Reuters nó dream eicínt, a shochraid féin agus sochraid Bhobby Sands, cé go raibh ar a laghad trí mhíle eile ann chomh maith leo. Bhí blianta idir na sochraidí sin, ar ndóigh mar gurb é íobairt Bhobby agus na stailceoirí eile ocrais a tharraing seisean isteach sa ghluaiseacht. Níor theastaigh uaidh ach buille a bhualadh ar son na hÉireann. Is amhlaidh gur ró-dhíograiseach a bhí sé, dar le cuid de na ceannairí. Mar gur ón deisceart é, b'fhéidir gur bhraith sé gur gá dó níos mó a dhéanamh ar son na cúise ná aoinneach eile.

Fós féin ní bheadh a ainm in airde ar fud na tíre mar laoch de chuid na Poblachta, ach bhí an Brainse Speisialta ó thuaidh agus ó dheas sa tóir air, gan trácht ar lucht drugaí ar éirigh leis a gcuid pleananna a chur ó mhaith. Tógadh cinneadh ag an leibhéal is airde é a chur den saol, ligean orthu go raibh bás faighte aige, sochraid mhaith mhór a thabhairt dó, agus ligean don tine a bhí lasta aige a mhaolú. Níor theastaigh duine chomh díograiseach ag am a raibh cainteanna rúnda síochána ar siúl. Chuirfí fios air dá mbeadh sé féin agus a ghunna ag teastáil arís. Chuir sé go mór ina gcoinne sin mar shíl sé go raibh na Briotanaigh agus a gcomhghleacaithe ó dheas i ngar do bheith buailte. Ach cuireadh an rogha bhorb os a chomhair, glacadh le: "bás dáiríre nó bás mar dhea."

Cúis náire a bheadh ann don dream i gceannas anois dá bhfaighfí amach gur beo dó i gcónaí. Bhí a fhios acu féin go maith go raibh ach níor mhaith leo go mbeadh a fhios ag an bpobal. Bhí formhór na ngunnaí díchoimisiúnaithe, ach bhí a fhios aigesean cá raibh fáil ar a bhréagán dá mba rud é go raibh sé ag teastáil. Sin é an fáth is mó a raibh sé ar a aire, ní de bharr na naimhde ar an taobh eile, lucht drugaí go háirid, ach óna thaobh féin. Bheadh cuid acu ag iarraidh an scláta a ghlanadh, anois go raibh a gcosa faoin mbord i dTeach Mór Stormont. Bheadh aiféala orthu nár chuir siad den saol i ndáiríre é cheana, ach ní fhéadfadh, mar gheall ar an meas a bhí ag an ghnáthóglach air. Ní raibh a shárú le fáil le duine a mharú le haon urchar amháin ó achar fada, glan, díreach, déanta. Sin é an scil a bhíodh aige, agus a bhí aige i gcónaí, is dóigh, cé nár thóg sé gunna ina lámh leis na blianta.

Níorbh é Veinéis a chéad rogha le héalú ón seansaol, ach an Astráil. Ní fhéadfá gabháil níos faide ó bhaile agus is Béarla a bhí á labhairt san áit. Ach ba é an rud céanna a cheap daoine eile, agus baile ó bhaile a bhí ann do roinnt mhaith as an ngluaiseacht a cuireadh as an mbealach ar an gcaoí chéanna leis féin. B'fhurasta castáil le duine ann a d'aithneodh thú. Thuig sé an chontúirt agus d'imigh leis. Roghnaigh sé an tír ina raibh sé anois thar tír ar bith mar go raibh Iodáilis foghlamtha aige sa Róimh le linn dó a bheith ina ábhar sagairt ansin le linn a óige. B'fhada anois é ó "Ná déan marú" agus na haitheanta eile ón mBíobla a threascair sé idir an dá linn. Ach is ag troid ar son a mhuintire a bhí sé, pobal Dé, pobal Caitliceach a thíre. Níor fritheadh aon locht ar Phádraig Mac Piarais nó ar Mhicheál Ó Coileáin ina dhiaidh sin, fear a bhí i bhfad níos fuiltí ná é féin de bharr a ghníomhartha. Níor fhulaing aoinneach a fuair urchar uaidh. D'fhulaing a muintir, ar ndóigh, ach is cogadh a bhí ann, chuile shaighdiúir ar mhaithe leis féin i dtosach agus ar mhaithe lena chúis ina dhiaidh sin.

B'aoibhinn leis a bheith beo agus an darna deis ar shaol a bheith aige, in ainneoin na mbagairtí a bhain lena stair phearsanta. Ach saol uaigneach a bhí ann, é ag aireachtáil uaidh an saol a chaith sé le linn a óige le taobh na farraige, an teanga, an dúchas, na cluichí, na daoine, a gcuid cainteanna tráthúla. Marach an t-idirlíon bheadh sé deacair air maireachtáil ar chor ar bith, a cheap sé. Bhí air a bheith cúramach, éisteacht le cláracha Gaeilge i nganfhios ar chluasáin, chomh fada is a d'fhéadfadh sé. Nuair a bhí cluiche peile nó rástaí na gcurachaí ar siúl, bhí sé ar nós a bheith thiar sa mbaile. B'fhada leis go mbeadh pardún nó rud eicínt tugtha dá leithéid nár tháinig faoi chomhaontú Aoine an Chéasta nó socrú idir-rialtais ar bith eile.

Chuimhnigh Giorgio ar an seanfhocal go dtagann ciall le haois, agus bhraith sé go raibh an oiread céille tagtha anois air gur cuma leis faoi pholaitíocht agus nach ndéanfadh sé a dhath difríochta dó cé a bhí i gcumhacht nó cé nach raibh ó thuaidh nó ó dheas ina thírín féin nó i dtír ar bith eile. Ba é an ceacht is mó a bhí foghlamtha nó nárbh fhiú an braon fola, ach nach raibh aon éalú ón bhfuil ag an té a ghlac leis an gclaíomh, mar a chuir an Bíobla é. Bheadh air marú arís, a cheap sé, ar mhaithe lena shábháilteacht, cé gurb é sin an rud is lú ar domhan a theastaigh uaidh. Is beag a thuig an bhean óg sin a thug sé ón aerfort le titim na hoíche, mar shampla, go mbeadh air í a mharú dá gceapfadh sé go raibh aon bhaint aici leis an dream a bhí sa tóir air.

Ghlac formhór na dturasóirí a d'iompair sé ina thacsaí uisce leis gur Iodálach a bhí ann mar go raibh an teanga go réasúnta maith aige, ach bheadh a fhios ag daoine áitiúla óna chanúint, ar ndóigh nárbh amhlaidh a bhí. Ní raibh sé deacair a chur ina luí ar dhaoine ag an am céanna gur den darna glúin Iodálach é, gur tógadh é i gcaifé sráide i mbaile beag faoin tuath in Éirinn, go raibh éisc agus sceallóga agus ola olóige ina fhuil aige. B'in é an fáth ar cheap siad go raibh Iodáilis aisteach aige, más teanga bhriotach féin í. B'fhéidir go raibh contúirt ag baint le Éire a lua a bheag nó a mhór, ach d'aithneodh duine ar bith nach Béarla Mhanchain nó Chicago nó Sydney a bhí aige nuair a bheadh an teanga sin á labhairt aige. B'aoibhinn leis an baile mór seo, ag imeacht leis ina bháidín beag buí a chuir curach adhmaid thiar sa mbaile i gcuimhne dó, cé go raibh siúl i bhfad níos mó aici seo de bharr chomh cumhachtach is a bhí an t-inneall.

Cheannaigh sé a bhád ón 'phinsean' a tugadh dó as an mBanc a robáladh i gCill Damhnait lá a shochraide. Bhí greann ag baint leis sin. Ní fhéadfaí *alibi* níos fearr a thabhairt dó. Fuair sé a dhóthain le hárasán a cheannach chomh maith, ach is ar lóistín a chaith sé é sin de réir a chéile, é réidh le n-imeacht ón áit a raibh sé nóiméad ar bith a mbraithfeadh sé go raibh a bheatha i mbaol. Shíl sé gurb é an t-athrú teangan is mó a shábháil go dtí seo é. Bheadh formhór den dream a bheadh ina dhiaidh ag ceapadh gur do thír ina mbeadh Béarla a ghabhfadh sé. É sin nó don Spáinn nó don Ísiltír, mar a ndeachaigh lucht na ndrugaí. Is ag iarraidh éalú óna leithéid a bhí seisean, ar ndóigh.

Bhí an ghráin aige ar dhrugaí agus ar an ndream a rinne saibhreas astu. Is minic a smaoinigh sé ar shocrú a dhéanamh leis an Rialtas nó dream eicínt sa mbaile ina dtabharfaí saorchead dó a scil mar shnípéir a úsáid leis an oiread le lucht ceannais na ndrugaí a chur den saol i nganfhios. D'fhéadfadh sé fanacht 'marbh' don saol mar a bhí sé cheana. Chuirfeadh sé na buíonta a bhí ag plé leis an obair ghránna úd trína chéile. Bheidís ag marú a chéile níos minice ná riamh, an tAire agus na Gardaí ag caint go poiblí ar an tábhacht a bhain le dlí na tíre, nach raibh sé de cheart ag aoinneach a ndlí féin a chur i bhfeidhm, blah blah, blah ... Ach ba ghearr go mbeadh na sráideanna glan ó dhrugaí agus an drochobair go léir a bhain leo. Faraor nach raibh deis mar sin aige, a shíl sé, le húsáid a bhaint as a scileanna.

Bhí a fhios ag Giorgio gur brionglóideacht lae a bhí ar siúl aige le smaointe mar sin. Ní bheadh *amnesty* i ndán dá leithéid ó dhream ar bith agus ba chur amú ama a bheith ag smaoineamh air fiú amháin. Ba Ghiorgio anois é, Pól fágtha ina dhiaidh go deo mar ainm. Ainm Pápa a tugadh air dar lena mháthair, an Pápa a bhí ann ina óige, Pól VI, agus is uirthi a bhí an bród nuair a thug sé aghaidh ar an Róimh le dul i mbun sagartóireachta. Bhí idéalachas ag baint lena shaol ón tús, más le creideamh nó polaitíocht a bhain sé siúd. Thart ar dheich mbliana d'aois a bhí sé nuair a léigh sé seanleabhar a bhíodh ag a sheanathair, leabhar Dan Breen faoina eachtraí féin i dTiobraid Árann i bhfad siar. Bhain sé geit óna athair agus mháthair nuair a d'fhill sé ón teach inar chónaigh an seandream lá agus d'fhógair sé: "Faraor nach bhfuil Dúchrónaigh ann le marú níos mó."

Bhí an díograis chéanna ag baint leis ó thaobh chúrsaí creidimh is a bhí faoi chúrsaí peile nó polaitíochta agus é ag éirí aníos. Thuig sé go maith céard a thug ar fhir óga Mhoslamacha sa lá atá inniu ann lámh a chur ina mbás féin le daoine eile a phléascadh amach as an saol ar mhaithe lena gcúis. Bhí sé féin go díreach mar a chéile le linn a óige, ach ní raibh an deis aige. Ansin tháinig an lá gur bhraith sé go raibh leatrom á imirt ar a mhuintir féin agus theastaigh uaidh a chion féin a dhéanamh ar a son. D'fhoghlaim sé a cheird go cruinn agus go cúramach, agus seachas fear amháin in Ard Mhacha, bhí sé ráite nach raibh a shárú ar fáil mar ghunnadóir agus mar snípéir go háirithe. Mar a tharla go minic is dóigh gurb amhlaidh gur mhéadaigh a cháil i measc na bPoblachtánach óir 'bhásaigh' sé.

Nuair a thosnaigh a fón póca ag clingeadh d'aithin Giorgio ar an bpointe gur ón Óstán ba ghaire, an Principe a bhí sé. Theastaigh ó ghrúpa as Meiriceá dul chuig béile sa gceantar Academia. "Beidh mé ansin i nóiméad amháin," a d'fhreagair sé, agus bhí. Bhí a fhios aige gur thaitin poncúlacht den tsórt sin le lucht an Óstáin. Nuair a shroich sé na céimeanna ag an doras tosaigh, chaith sé rópa thart ar cheann de na polanna ansin ar bhealach a bhí sábháilte ach furasta a scaoileadh. Rug sé ar lámha na dturasóirí ina nduine agus ina nduine, agus chinntigh sé go raibh gach duine slán sular ghlac sé leis an gcéad duine eile. Bhí aois mhór ar a bhformhór, ach bhí ardghiúmar orthu, cosúlacht orthu go raibh braon maith ar bord acu cheana. Nuair a bhí a bhád ag gluaiseacht léi, agus an dream a bhí inti glórach gealgháireach, smaoinigh Giorgio ar an saol breá taitneamhach a bhí acu in ionad a bheith suite i dteach banaltrais mar a bhí a mháthair féin an uair dheireanach a chuir sé a tuairisc.

Rugadh Pádraig Standún i 1946 in aice le Baile na Cora, Co Mhaigh Eo, agus tá sé ina shagart le tríocha bliain anuas i nGaeltachtaí na Gaillimhe agus Mhaigh Eo. Le fíordhéanaí a d'fhoilsigh Cló Iar-Chonnacht an fichiú leabhar uaidh, Tuar Mhic Éadaigh sa Stair agus Seanchas. *Tá an t-aonú úrscéal déag dá chuid,* I gCóngar I gCéin, *le teacht ón fhoilsitheoir céanna gan rómhoill. Tá cónaí faoi láthair air i gCarna, Co na Gaillimhe.*

CUMANN

Colette Nic Aodha

PEACACH

Níl focal agam don sásamh fisiciúil ná neart
agam ar an réimse mothúchán
a bhíodh a mo chéasadh thar na blianta.

Níl dóthain focal gáirseach ar eolas agam
ach is cuma liom faoi. Tagann cuimhní m'óige
ar ais. Glaodh ainmneacha maslacha orm;

óinseach, amadán, straip nó leibide,
ba mhinic a dúradh liom éirí ó mo "ghogaide",
ach in ainneoin gach gortú d'airigh mé ceol sna focail.

Scaoilim leis na smaointí sin anois
is baistim ainmneacha nua ar an dúil a airím.
Ba mhian liom a bheith cumasach i dteanga an áilíosa

is dearmad a dhéanamh ar theanga na mbláthanna.
An peacach mé? Nach cuma liom má chuireann tú síoda
ar mo chorp nocht nó fíonchaora i mo bhéal

is tú ag blaiseadh an tsú atá ag sileadh asam,
agus ag tógáil mo chuid cíocha idir do bheolaí,
ag sá craicinn mo mhuiníl le d'fhiacla?

Tú ag tabhairt faoi aistear nua idir mo chosa
le pé ball dod chorp is mian leat. Ba bhreá liom
gach ball dod chorp a bhlaiseadh

agus iad a choimeád im bhéal tamaillín
ionas gur duine amháin muid;
gan ach corp aonair eadrainn beirt.

Cuirim mo chuid smaointí ar ceal,
tugaim tús áite don tsamhlaíocht,
don aigne chruthaitheachta. Don áilíos,

don drúis, don dúil, don chleachtadh suirí.
Cuir mé ar mo shuaimhneas arís
is bainimid sult as a chéile, gan amhras.

FUASCAILTEOIR

Tú ag gearradh sreanga a bhíodh a mo cheangal
Le gach póg a thugann tú dom,
Croithim mo cheann agus titeann mo chuid gruaige
Ar mo ghualainn. Casaim é ó thaobh amháin go taobh eile

Airím an tais idir mo chosa
Áit a gcuimlíonn tú do chuid méaranna
Go mbainfinn sult as
Brúnn tú ar mo mhuineál, na cnámha

Atá ag giocadh amach, na cinn atá aird
Ag teastáil uathu go géar. Mé chomh tais
Leis an deabail nuair a bheireann tú greim asam
Fuarchreathanna orm ó mhullach go barraicín.

Tá dealbh déanta agam as do bhod,
Suíonn sé ar chófra beag in aice mo leapa.
Feidhmíonn sé mar sheastán don lampa
Samhlaím tú lomnocht ag siúl i dtreo an tsolais.

Rugadh Colette Nic Aodha i gCo Mhaigh Eo i 1967 agus fuair sí a hoideachas in Ollscoil Náisiúnta na hÉireann Gaillimh. Seacht gcnuasach filíochta i nGaeilge agus i mBéarla atá foilsithe aici – Scéal Ón Oirthear *(Coiscéim, 2009) an ceann is déanaí acu – chomh maith le himleabhar gearrscéalta agus leabhar ar Raiftéaraí, file dall Mhaigh Eo. Tá sí ag obair anois ina múinteoir i gCo Mhaigh Eo, agus cónaíonn sí i nGaillimh.*

AG SCARADH MÓNA

Colette Ní Ghallchóir

BEALTAINE

Spréann tú
Do mhóin
Go mórtasach
Romham
Ar phortach lom seo
An Chorrmhín,
Fóide móra anásta
Ag cur i gcuimhne domhsa
Go mbeidh mo ghrátasa
Folamh
Arís
I mbliana.

I nGaeltacht Thír Chonaill a rugadh Colette Ní Ghallchóir i 1950. D'fhoilsigh sí dhá dhíolaim filíochta, Idir Dhá Ghleann *(Coiscéim, 1999) agus* An Chéad Chló *(Cló Iar-Chonnachta). Múinteoir bunscoile í agus tá cónaí uirthi i gCo Dhún na nGall.*

AN DUFFEL SEAMANACH

Nuala Reilly

AG FEITHEAMH LE REBECCA HANNAH

Mar a rinne Cathbad Draoi fadó
Chuaigh mé amach a bhreathnú na spéire
Oíche réabghealaí
Gealach na gcoinleach
In ard a réime
An Réalta Thuaidh ina seasamh
Do chealgadh le suantraí.

Leisce ort do chlúid chluthar a thréigean.
Ar theacht 'na bhaile duit
Chuig domhan duairc doicheallach
Na súile dírithe ar bhun spéire anaithnid
Miongháire meallacach ar do bhéilín
Méara míne ag síneadh
I dtreo téada dofheicthe
Ag seinm ceoil dochluinte.

Cogar liom seo, a mhuirnín
Cad é atá ar fhis
Agus tú ag amharc fríom?

A chroí istigh
Níl cead isteach agam
I do ríocht rúnda
Gidh go n-umhlaím romhat
Ró-mhór chuici atáim

Bhéarfainn spré naoi níon rí
Ach eolas a chur
Ar dhiamhra dorochta d'intinne
Guím asarlaí chugainn

Le heochair a scaoilfeas
An glas ar do theanga.

Lúth na gcos anois agat
Seo leat
Romham
Ar an chosán
Ag rince
Leochaileach
Mar dhuilleog órbhuí fhómhair.

WAITING FOR REBECCA HANNAH

Like Cathbad Druid
I went surveying the sky
A night of brilliant moon-light
The stubble moon
At the height of her glory
The North Star standing
Lulling you
You loath to leave
Your cozy nook.

Coming home
To a cold gloomy world
Your eyes fixed
On an unknown horizon
An entrancing smile
Wreathing your mouth
Slender fingers straining towards
Invisible strings
Playing inaudible music.
Whisper me this, my precious one
What is exposed
As you look through me?
Dear heart

I cannot enter
Your secret domain
Even hunkered down
I am too tall.

I would give the dowry
Of the nine daughters of a king
To learn the mysteries of your elusive mind
I pray a sorcerer to come
With a key to free your tongue

Here you are now
Up on your feet
Dancing in front of me
On the path
Fragile as a golden Autumn leaf.

CÓTA AN FHILE

Cóta an fhile
Ar crochadh
Ar chathaoir
I mBábhún
Bhaile Eachaidh
Chuir mé deasóg
Sa phóca
Ag tnúth go dtitfeadh
Cith drithleog
A spreagfadh
Spiorad na hÉigse
Sna méara.
Do bharúil?
Arbh fhearr dom
An Duffel Seamanach
A tharraingt umam
Ina iomláine?

THE POET'S COAT

The poet's coat
Hanging
On a chair
In the Bawn
At Bellaghy
I put my right hand
Into the pocket
Hoping for a spark-shower
To inspire the fingers.
What do you think?
Would I have been
Better off
Pulling the Shamanic Duffel
Around me completely?

In Ard Mhacha a rugadh agus a tógadh Nuala Reilly, agus oileadh in Ollscoil Uladh agus in Ollscoil na Banríona Béal Feirste í. Foilsíodh saothar dá cuid in Comhar *agus* Feasta, *agus Coiscéim a d'fhoilsigh an chéad chnuasach uaithi,* Magus Ballyrath, *i 2008. Tá cónaí uirthi i nDoire.*

Ó CADHAIN, KAFKA AGUS LITRÍOCHT UIRBEACH NA GAEILGE

Máirín Nic Eoin

Ní bheadh in Éirinn ach Sasana bheag dá gcaillfimis an Ghaeilge. Ní raibh ionad ar bith ina fhís pholaitiúil don fhearann breac.

Bhí sé dearfa anois gur chomhad é féin ar pháipéar a bhaill bheatha, agus go ndeacha sé amú nuair a chuir rúnaí an Aire fios ar an meamram arbh é é. Ní hé amháin gur airigh sé é féin faoi ghlas anois; d'airigh sé glas, glas a raibh a eochair ar iarra, ar gach ball dá bhaill bheatha. Ba í an teanga an ball deire a ndeacha glas uirthi. Nuair a d'fhéach sé leis an nglas a bhaint di shloig sé an eochair agus chaithfí doras a oscailt ann lena fáil ... Máirtín Ó Cadhain, "An Eochair"

Níl amhras ar bith ach go raibh an mórscríbhneoir nua-aoiseach Kafka léite ag Máirtín Ó Cadhain agus go raibh tionchar ag a shaothar ar scéalta áirithe cathrach dá chuid. Tá rian na n-úrscéalta cáiliúla fáthchiallacha *Der Prozess* (*An Triail*, 1925) agus *Das Schloss* (*An Caisleán*, 1926) le Kafka le feiceáil sa léiriú a thugtar ar thimpeallacht choimhthíoch, naimhdeach, mhaorlathach, dhídhaonnaithe na mórchathrach i scéalta déanacha leis an gCadhnach, go háirithe na scéalta le toise láidir osréalaíoch mar "An Eochair" ón gcnuasach *An tSraith ar Lár* (1967) agus "Fuíoll Fuine" ón gcnuasach *An tSraith dhá Tógáil* (1970). Is é an príomhphointe comparáide idir an bheirt scríbhneoirí ná an chaoi a léirítear saol na hoifige, saol na státseirbhíse, agus go háirithe saol an fheidhmeannaigh eagraíochta, i saothar na beirte. Nocht an bheirt acu gnéithe de chóras a raibh loighic buile éigin á thiomáint, cumhacht neamhdhaonna a rinne nithiú ar an duine a chaithfeadh feidhmiú faoina stiúir. D'fhéadfaí éifeacht gearrscéalta Kafka a aithint freisin ar scéalta osréalaíocha mar "Ag Déanamh Páipéir" agus "Ag Déanamh Marmair" ón gcnuasach *An tSraith Tógtha* (1977).

Is iondúil go dtarraingítear Kafka, agus scríbhneoirí cáiliúla comhaimseartha Eorpacha eile mar Camus agus Beckett, isteach sa phlé nuair atá criticeoirí ag iarraidh an t-athrú suímh agus ábhair agus stíle agus carachtrachta idir saothar luath agus saothar déanach an Chadhnaigh a léirmhíniú. Is cinnte go bhfuil brí leis an gcomparáid, ach ní bheinn ar aon intinn go hiomlán leis an mbuntéis atá taobh thiar den léamh sin go minic: go ndearnadh scríbhneoir nua-aoiseach Eorpach den Chadhnach áit éigin idir foilsiú *An Braon Broghach* (1948) agus foilsiú *An tSraith ar Lár* sna seascaidí. Admhaítear go coitianta gur fhág sé ina dhiaidh ábhar agus téamaí agus stíl an luathshaothair nuair a thug sé aghaidh ar shaol na cathrach a léiriú ina chuid ficsin, ach ní hí an ghluaiseacht ón suíomh tuaithe go dtí an suíomh cathrach an pointe idirdhealaithe is tábhachtaí, dar liom, ach an ghluaiseacht ó láthair fhicseanúil ar féidir pobal a shamhlú leis – fiú amháin más pobal buailte, pobal faoi bhrú, atá i gceist – go dtí láthair níos loime, níos scanrúla, agus níos éiginnte. Is é an léamh a dhéanfainn féin ar an gcuid is snoite agus is cumhachtaí de na scéalta déanacha ná gur forbairt loighciúil iad ar thréithe áirithe atá le haithint freisin sa luathshaothar. Tá go leor de na téamaí bunúsacha céanna iontu – an duine i ngleic le timpeallacht chrua eascairdiúil, easpa comhthuisceana agus comhbhráithreachais idir daoine atá gairid i ngaol lena chéile, an t-aonarán príosúnaithe ag a dhaonnacht lochtach féin agus ag struchtúr sóisialta a chloíonn é. Tá de phointe lárnach ceangail idir na saothair is luaithe agus na saothair dhéanacha freisin ná go ndírítear iontu go léir ar éagumas an duine cor dearfach ar bith a chur ina chinniúint féin, téama a thógann ceist bhunúsach faoin ngaol idir polaitíocht agus ealaín Uí Chadhain.

Sa léacht chomórtha a thug an tOllamh Bob Welch i gColáiste Phádraig, Droim Conrach, i mí Deireadh Fómhair 2006, ghlaoigh sé "a literature of extremities" ar shaothar Uí Chadhain, á chur i gcomparáid ar an mbonn sin le saothar Beckett. Is cinnte gur ag plé le "extremities" a bhí Kafka freisin, ach is fiú éifeacht Kafka ar Ó Cadhain a scrúdú beagáinín níos mine. Is ag breathnú go comhfhiosach ar phobal Gaeilge na cathrach mar gheiteo a bhí Ó Cadhain nuair a luaigh sé féin Kafka in *Páipéir Bhána agus Páipéir Bhreaca* (1969). Tugann Ó Cadhain le fios anseo gurb é an nasc is mó a shamhlaigh sé idir a shaothar féin agus saothar Kafka ná gur ag labhairt amach ó pheirspictíocht pobail a bhí faoi chois nó a bhí i mbaol a bhasctha a bhí siad araon:

> Is mó de mo dhlúthmhuintir i mBaile Átha Cliath ná sa mbaile. Tá go leor de mo chomharsanaí agus as mo thaobh tíre in a gcónaí gar go leor dhom. Is cineál ghetto muid b'fhéidir. B'as an nghetto Kafka agus Heine gan ach beirt a bhfuil eolas agam ar a saothar a lua. Cho fada is is léar dom is ghettos ar fad é Baile Átha Cliath.

Tá roinnt rudaí le ceistiú maidir leis an ráiteas seo, áfach. I dtosach báire, níl an fhírinne ar fad ann chomh fada is a bhaineann sé le Kafka. Níorbh as an ngeiteo Kafka. Ba bhall é de phobal Giúdach Phrág cinnte, pobal mionlaigh, ach faoin am ar tháinig Kafka ar an saol bhí deireadh leis an seangheiteo Giúdach i bPrág, mar láthair fhisiciúil agus mar chomhthionól nithiúil. Ba phobal comhshamhlaithe meánaicmeach – lucht gnó agus gairme, feidhmeannaigh oifige agus comhlachta – iad Giúdaigh Phrág, a raibh an Ghearmáinis mar phointe dealaithe idir iad agus mórphobal Seiceach na cathrach. Mhair cuimhne an gheiteo cinnte, agus an ciníochas ba bhun leis. Agus, mar atá ráite ag tráchtairí éagsúla, mhair an geiteo go beo beathach i samhlaíocht an phobail Ghiúdaigh agus bhí teannas leanúnach idir iad agus pobal Seiceach na cathrach. Maidir le pobal na Gaeltachta i mBaile Átha Cliath, cé go raibh go leor de dhlúthmhuintir Uí Chadhain ina gcónaí i mBaile Átha Cliath lena linn, níor gheiteo iad sa chaoi a bhféadfaí a áiteamh gur geiteo an pobal a ndéanann Pádraic Ó Conaire trácht air agus é ag cur síos ar "Éire Bheag" Londan in *Deoraíocht* (1910). D'aithin an scríbhneoir Duibhneach Pádraig Ua Maoileoin an méid sin agus é ag cur saol aonaránach an imirceora Gaeltachta i mBaile Átha Cliath i gcomparáid leis an saol pobail a bhí ar fáil dá mhacasamhail i Nua-Eabhrac. Bhí láithreacha Gaeilge ar fáil i Nua-Eabhrac – coinicéir a thugann sé orthu – ach ba thaobh le saol an tí ósta a bhí an fear Gaeltachta i mBaile Átha Cliath:

> Ach níl aon phaiste i mBaile Átha Cliath, mar a bhfuilimse le chúig mbliana fichead anois, go bhféadfadh duine aithris a dhéanamh ar an bpátrún saoil a chaith an fear eile úd ón gCom i New York. Dá mbeadh, b'fhéidir gurb ann a gheofaí me, agus b'fhéidir eile nach ea, n'fheadar. Is minic a ghealann mo chroí anso nuair a dh'fhéadaim bualadh isteach go tigh ósta áirithe, nó go tigh tabhairne, b'fhéidir, agus an Ghaeilge á spreagadh im thimpeall. Tá a leithéidí seo d'áiteanna ann ach iad a bheith fánach go leor i gcathair atá lán de Ghaeilge ach í a thabhairt ar barr uisce. (*Na hAird ó Thuaidh*, 1960)

Maidir leis an gCadhnach, fiú dá bhféadfaí a áiteamh go raibh saol pobail de chineál éigin á chaitheamh ag muintir Chonamara i mBaile Átha Cliath, is cinnte nár fhéach seisean leis an saol pobail sin a léiriú ina chuid ficsin. Ceist bhunúsach faoina shaothar uirbeach, más ea, is ea cén fáth ar roghnaigh sé cur chuige liteartha a dhírigh go háirithe ar dhaoine aonair ar státseirbhísigh nó feidhmeannaigh oifige go minic iad? Cén gaol atá idir a chuid pearsana cathrach agus an tsamhail a bhí aige do phobal na Gaeltachta i mBaile Átha Cliath? Is i bhfreagra na ceiste sin a fheicfear an gaol is tábhachtaí idir a shaothar agus saothar Kafka, dar liom.

Tá go leor scríofa faoin toise fáistineach i saothar Kafka, faoin gcaoi ar chruthaigh sé timpeallacht fhicseanúil a bhí mar réamhléiriú nó mar réamhfháistine liteartha ar uafáis an fhaisisteachais agus na gcampaí géibhinn. Sílim gur féidir toise apacailipteach a aithint freisin i saothar uirbeach Uí Chadhain: gur féidir fáthscéal domhain a aithint sa chuid is suntasaí de na scéalta cathrach agus gurb é fócas an fháthscéil sin ná an t-ionad éagumasach éadóchasach a shíl Ó Cadhain a bhí ar fáil do phobal na Gaeltachta (agus go háirithe don intleachtóir Gaeltachta) in Éirinn a linne. Má chuirimid i gcás gur fear Gaeltachta é an státseirbhíseach "J" in "An Eochair", mar shampla, céard a insíonn an scéal sin dúinn faoin ról a shamhlaigh an Cadhnach dá leithéid sa státchóras? Coinneálaí páipéir sóisearach, feidhmeannach dí-ainm, mionduine sáinnithe i gcóras nár chum ná nár cheap sé féin – an córas sin á chloí, á mharú ar deireadh. Má ghlacaimid leis gur fear Gaeltachta é an feidhmeannach cantalach "N" in "Fuíoll Fuine", cén léamh is cóir dúinn a dhéanamh ar a éagumas cinneadh ar bith a ghlacadh, nó gníomh ar fónamh a bheartú nó a chur i gcrích? Má ghlacaimid leis gur fear Gaeltachta é an príomhcharachtar in "Ag Déanamh Páipéir", an ionann é sin agus a admháil gurbh í an tsamhail uafar a bhí ag Ó Cadhain do thodhchaí na teanga ná carn páipéir ag tachtadh sreanga beatha na gcainteoirí deireanacha? An bhféadfaí dul níos faide fós agus na hothair a ndéantar marmar díobh sa scéal "Ag Déanamh Marmair" a fheiceáil mar léirithe ar chuisniú sin na Gaeltachta a bhí i gceist aige freisin san úrscéal *Barbed Wire* (2002)? Tá coincheap an chlaochlaithe lárnach i saothar cruthaitheach an Chadhnaigh, ach má tá, tá an stalcacht, an *stasis* i gceist freisin. Is é an claochlú is lárnaí ina shaothar an claochlú ó staid an bheo go dtí staid an neamhbheo ach is minic gurb í an idirstaid atá faoi scrúdú – staid an duine atá faoi réir ag fórsaí cumhachtacha díobhálacha, bídís seachtrach nó inmheánach. Is íomhá scanrúil atá á cur chun cinn sna scéalta seo atá luaite agam, íomhá den duine díchumasaithe, den dínit dhíscithe, den indibhid sheasc aimrid. Tá saothar liteartha an Chadhnaigh, agus go háirithe na scéalta móra cathrach, lomlán le híomhánna a bhaineann le seisce, le haimride, le héagumas gnéis go fiú. Is gné í seo dá shaothar liteartha a mhúsclaíonn ceisteanna bunúsacha faoi pholaitíocht Uí Chadhain. Sílim gur fíor le rá gur dearcadh cinnte daingean a bhí aige faoin bpolaitíocht chultúrtha. Mar a dúirt sé féin go minic, ní bheadh in Éirinn ach Sasana bheag dá gcaillfimis an Ghaeilge. Ní raibh ionad ar bith ina fhís pholaitiúil don fhearann breac, don leathréabhlóid, don hibrideacht chultúir is spéis le teoiriceoirí an iarchoilíneachais. Is éard atá suimiúil faoi go leor dá charachtair liteartha, áfach, ná gur daoine iad a mhaireann sa chlapsholas. Tá siad éiginnte, nó tá a gcinniúint á stiúradh ag fórsaí taobh amuigh díobh féin. Níl fuinneamh ná diongbháilteacht an réabhlóidí iontu. Tá siad sáinnithe, gan ar a gcumas bogadh, nó más ag bogadh atá siad, tá siad ar easpa treorach, ag falróid leo i dtreo na neamhbheatha. Tá an-ábhar comparáide le Kafka i dtéama seo na héiginnteachta. Is ag obair mar fheidhmeannach dlí in oifig árachais (comhlacht príobháideach i dtosach agus ansin eagraíocht státurraithe) a chaith Kafka a shaol mar fhostaí agus mhair teannas síoraí idir riachtanais na hoifige sin – áit arbh iad gnéithe teagmhasacha timpisteacha na beatha a bhí mar ábhar oibre aige – agus riachtanais na healaíne, an t-aon réaltacht a bhí tábhachtach dó. Is féidir linn cás an Chadhnaigh agus é ag plé le páipéarachas na Gaeilge in institiúidí de chuid an stáit mar Rannóg an Aistriúcháin agus An Gúm a thuiscint, b'fhéidir, sna téarmaí céanna sa mhéid go raibh gaol dlúth á chothú sna hionaid sin idir obair pháipéir agus cinniúint na teanga.

D'fhéadfaí a áiteamh nár ghá dul chomh fada le Prág ná le saothar Kafka chun cuid de na híomhánna den chathair atá luaite go dtí seo a aithint. Níor ghá i ndáiríre ach spléachadh a thabhairt ar an léiriú a thugtar ar an nGaeilgeoir i litríocht an fichiú haois chun teacht ar íomhánna den chathair mar ghaiste, mar phríosún, mar áit neamhthorthúil sheasc, mar chathair ghríobháin nó mar thimpeallacht naimhdeach chontúirteach. Tá go leor samplaí a d'fhéadfaí a lua, ag tosú leis an léiriú duairc ar shaol cathrach a thugann Pádraic Ó Conaire in *Deoraíocht*. Is mar áit a dtéann an duine amú ann a shamhlaítear Londain sa saothar seo. Is ainmhí uafar í an chathair a shíneann amach a géaga chun óige na tíre a tharraingt ina treo. Is i ngeiteo a mhaireann pobal na hÉireann inti, pobal nach bhfuil i ndán dóibh ach an meathlú cultúrtha agus morálta. Is léiriú sách dorcha ar an saol uirbeach a fhaightear i litríocht na himirce trí chéile sa Ghaeilge. Is daoine atá i bhfostú, sáinnithe i ngaiste eacnamaíoch agus sóisialta iad an chuid is mó de charachtair Dhónaill Mhic Amhlaigh, mar shampla. Mar sin féin, in ainneoin choimhthíos na timpeallachta, is daoine iad a thugann na cosa leo. Is gnáthdhaoine agus baill de phobal iad, cé go bhfuil teorainneacha dochta le saoirse is le deiseanna saoil an phobail sin.

Cé go mbeifí ag súil le léiriú criticiúil ar phríomhchathair Shasana i litríocht na himirce, is é an fórsa trína nochtar míshástacht leis an gcathair *Éireannach* an rud is suntasaí i litríocht uirbeach na Gaeilge. Ní shílfeá go brách go raibh geiteo Gaeltachta i mBaile Átha Cliath mar thearmann ag an bhfile Árannach, Máirtín Ó Direáin, mar shampla. Is mar "chimí" aonaránacha a shamhlaítear áitritheoirí na cathrach ina mhórdhán "Ár Ré Dhearóil" (a foilsíodh sa chnuasach *Ár Ré Dhearóil* sa bhliain 1962):

Tá cime romham
Tá cime i mo dhiaidh,
Is mé féin ina lár
I mo chime mar chách,
Ó d'fhágamar slán
Ag talamh, ag trá,
Gur thit orainn
Crann an éigin.

Is le col is le seanbhlas a luaitear caithimh aimsire lucht cathrach:

An macha cúil
Tráthnóna Sathairn,
An cluiche peile,
An imirt chártaí
Is ósta na bhfear
Ina múchtar cásamh.

Níl i ndán don Ghaeilgeoir dífhréamhaithe ach beatha sheasc an pháipéarachais:

Ní luaifear ar ball leo
Teach ná áras sinsir,
Is cré a muintire
Ní dháilfear síos leo,
Ach sna céadta comhad,
Beidh lorg pinn leo ....

Is a liacht fear acu
A chuaigh ag roinnt na gaoise
Ar fud páir is meamraim,
Ag lua an fhasaigh,
An ailt, an achta.
Is a liacht fear fós
A thug comhad leis abhaile,

Is cúram an chomhaid
In áit chéile chun leapa.

Seo an feidhmeannach oifige ag caint arís, an fear páipéir, an file Gaeltachta i bhfostú i dtimpeallacht oibre nár fheil dá chúlra ná dá éirim.

Tá an léiriú seo ar an gcathair mar ghaiste ag an bhfear cruthaitheach Gaeltachta le fáil freisin i saothar Sheosaimh Mhic Grianna *Mo Bhealach Féin* (1940):

Dar liom riamh gur páistí a rinne an chathair, daoine beaga lagintinneacha nach dtiocfadh leo sliabh a bhriseadh agus nach mbeadh beo ar chor ar bith ach go bé go bhfuil na fir a bhriseas an sliabh caíúil le páistí.

Is geall le cás ainmhí an seomra sa teach lóistín; is príosún ag an duine cruthaitheach é An Gúm; is pianseirbhís don chainteoir dúchais gnó an mhúinteora Gaeilge.

Shílfeá, le cathrú na tíre ó na seascaidí ar aghaidh, go dtiocfadh deireadh go deo leis an gcineál seo léirithe ar thimpeallacht is ar phobal na cathrach, ach ní mar sin atá. Tá samplaí de shaothair a foilsíodh idir 1980 agus 2000 a léiríonn an chathair fós mar áit naimhdeach chontúirteach, mar áit nach bhféadfadh an tÉireannach de bhunadh na Gaeltachta a bheith sa bhaile ann. Tá sraith dánta frithuirbeacha i measc luathshaothar Chathail Uí Shearcaigh, agus feictear na *cliché*anna frithuirbeacha ar fad sna dánta "Sráideacha", "Deoraíocht", "Cathair" agus "Miontragóid Chathrach" ón gcnuasach *Miontragóid Chathrach* (1975): "glas-stócach an tsléibhe/ ar strae i dtoitcheo na cathrach". Tá saoirse de chineál ar leith á lorg ag an Searcach; ach nuair a théann sé go Londain, níl sé sásta glacadh le gnáthshaol an imirceora Éireannaigh. Diúltaíonn sé do shaol cathrach an lucht oibre: "Níl mé ag iarraidh go ndéanfaí faobhar m'óige a mhaolú is a scrios/ le meirg an díomhaointis i seomra beag tais/ an Uaignis, i gKilburn nó i dTufnell Park, i Walthamstow nó i Holloway; i gCricklewood, i gCamden Town nó in Archway". Ach diúltaíonn sé níos láidre fós do shaol an fheidhmeannaigh oifige: "Urlacaim, sconnóg ar mhuin sconnóige/ lá domlasach na hoifige".

Is dóigh liom gur féidir léiriú níos ilghnéithí ar an gcathair a aithint i litríocht chomhaimseartha na Gaeilge agus na Gaeltachta. Is minic carachtair Mhichíl Uí Chonghaile agus Phádraig Uí Chíobháin anonn is anall idir an tuath agus an chathair, an Ghaeltacht agus an Ghalltacht, Éire agus an choigríoch. Cé gur áit í an chathair a bhfuil deiseanna agus dúshláin dá cuid féin ag baint léi, ní áit aduain a thuilleadh í, ná láthair a chuirfeadh laincis ar chruthaitheacht an duine. Tá na híomhánna diúltacha agus na scéalta tragóideacha fós le fáil, áfach. Léiríonn Áine Ní Ghlinn saol dearóil an fhir Ghaeltachta Páidín (Patrick Conneely) agus é gan dídean ar shráideanna London, i sraith dánta ina cnuasach *Deora nár Caoineadh* (1996). Déanann Gearóid Mac Lochlainn nasc, ina dhán "Paddy" sa chnuasach *Na Scéalaithe* (1999), idir féinmharú Éireannaigh óig i Londain agus anchás na bpobal eile a d'fhulaing cos ar bolg coilíneach agus ina dhiaidh sin coimhthiú na deoraíochta iarchoilíní i bpríomhchathair ilchiníoch na himpireachta.

Gné shuntasach de léiriú seo na cathrach i litríocht na Gaeilge is ea an chaoi a ndéileáltar le cúrsaí aicme. Nuair a dhírítear ar aicmí sócúlacha na cathrach, is gnách go mbíonn toise den chritic shóisialta fite fuaite tríd an insint. Is le tarcaisne a thagraíonn Seosamh Mac Grianna dá chomhphaisinéirí ar an tram, mar shampla:

Bhí aghaidheanna na ndaoine a bhí ar an tram sámh sásta, dar liom, mar bheadh fios mhaith an tsaoil acu agus nach mbeadh agamsa. Is iomaí uair a chuir sé fuacht i mo chuisleanna daoine a fheiceáil sásta. Agus is beag an rud a shásaíos formhór na ndaoine. Chuirfeadh fir baile mhóir samhnas ort: tá siad cosúil le scadáin bheaga i mboscaí.

Ach is láidre fós a bhreithiúnas ar an meánaicme atá ag plé le Gaeilge:

Casadh beirt orm an lá sin a raibh aithne le blianta agam orthu. Bhí baint le Gaeilge acu agus bhí fear acu ina scríbhneoir. Bhí fear acu an t-am seo sa Státseirbhís, agus an fear eile i bpost den chineál chéanna féadaim a rá. Ní thiocfadh liom mo chomhrá a dhéanamh leo. Thug mé iarraidh scéal a inse dóibh, ach nuair nach raibh baint ag an scéal le obair an lae sin ní éistfeadh siad leis. Bhí páipéar scrúdaithe ag fear acu agus ní raibh ann ach nár thiontaigh sin mo ghoile.

Seo an cineál comhluadair atá á nochtadh in úrscéal Shéamuis Uí Néill *Tonn Tuile* (1947), scéal atá lonnaithe i mBaile Átha Cliath le linn an chogaidh. Is duine truamhéalach é príomhcharachtar an scéil, Gaeilgeoir agus mion-intleachtóir ar faoin tuath atá a fhréamhacha agus ar leis an nGaeltacht — seachas leis an gcathair — atá a dháimh.

Cuireann Máirtín Ó Direáin síos le seanbhlas ar mhodhanna éalaithe na meánaicme:

I gcúiteamh an tsíl
Nach ndeachaigh ina gcré,
I gcúiteamh na gine
Nár fhás faoina mbroinn,
Nár iompair trí ráithe
Faoina gcom,
Séard is lú mar dhuais acu
Seal le teanga iasachta
Seal leis an ealaín,
Seal ag taisteal
Críocha aineola,
Ag cur cártaí abhaile
As Ostend is Paris,
Gan eachtra dála
Ar feadh a gcuarta,
Ná ríog ina dtreo
Ach ríog na fuaire.

Is é an taobh eile den scéal seo ná gurb iondúil go nglacann an scríbhneoir Gaeilge páirt an mhionduine. Tugann Mac Grianna an-chuntas ar an aithne a chuir sé ar bhacaigh is ar bhochtáin na cathrach, mar shampla, agus ar an taithí phearsanta a bhí aige féin ar a gcúinsí maireachtála.

Is i gcomhthéacs bhá "nádúrtha" an Ghaeilgeora leis an duine atá thíos is féidir an léiriú ar an gcathair atá le fáil i saothar scríbhneoirí de bhunadh cathrach a thuiscint freisin. Nuair a fhéachaimid ar shaothar filí mar Michael Davitt agus Liam Ó Muirthile, feicimid go bhfuil patrún so-aitheanta ag baint leis an dearcadh a nochtann siad. Deir Davitt sa dán dar teideal "Luimneach": "Luíonn an chathair seo orm/ mar bhróg nua", ach ní hí an chathair féin a chuireann isteach air, ach an mheasúlacht is an phostúlacht uirbeach:

Táim ar mo choimeád
ón gceann dea-bhearrtha
is má bheireann carabhat orm
tachtfaidh sé mé.

Is ceist aicme ar deireadh é, agus míshástacht le gnéithe den chultúr comhaimseartha á nochtadh. Aithníonn Davitt, an fear teilifíse, gur chóir go mbeadh bá níos mó aige lena chomhghleacaithe oibre:

> Ba cheart go dtuigfinn níos fearr sibh
> is bhur rúnaithe corcra dáchosacha
> is bhur gcairde *ginandtonic* i *loungebars*
> ag caint faoi rugbaí is faoin tuaisceart
> i mBéarla spideogach RTÉ. (*Gleann ar Ghleann*, 1981)

Ar ndóigh, bhí a cheann "lán de Chasadh na Gráige" nuair a scríobh sé an dán sin. Ach faightear tuilleadh den scéal i ndánta eile. In "Ciorrú Bóthair", a foilsíodh sa chnuasach céanna, tá cur síos ar chomhrá a bhí ag an bhfile le fear ar thug sé síob dó ar an mbóthar. Tharla gur chomhChorcaíoch é a raibh "na bóithríní céanna canúna" siúlta aige is a bhí ag an bhfile:

> Coláiste Samhraidh i mBéal Átha an Ghaorthaidh,
> Graiméar na mBráithre Críostaí,
> Tithe tábhairne Chorca Dhuibhne,
> Is an caolú, ansin, an géilleadh,
> Toradh cúig nó sé de bhlianta
> I gcathair Bhaile Átha Cliath.

Cé gur chum Davitt dánta cathrach den scoth – dánta i gcuimhne ar a athair is a mháthair ina measc – tá an col leis an saol comhaimseartha uirbeach fós le brath sna leabhair ba dhéanaí leis agus an col sin ceangailte lena dhíomá nár fíoraíodh aislingí cultúrtha na hóige:

> Urchar gréine i ngairdín cúil i mBleá Cliath 4
> a chuir im cheann arís é is mé leath im shuí
> leath ag luí ar chathaoir ghuagach phlaisteach:
>
> miotaisín mánla a chothaíos is mé amach sna déaga
> go dtiocfadh an lá go mbeadh Gaoluinn á labhairt
> i gcathracha na hÉireann, agus ní *any old kind of Irish*. (*Scuais*, 1998)

Maidir le Liam Ó Muirthile nochtar anbhuaine an bhruachbhaile sa dán "Eolchaire" óna chéad chnuasach *Tine Chnámh* (1984): "Tagann uaigneas anseo orainn/ Dairt dheoranta an bhruachbhaile". Feictear míshocracht an aonaráin i láthair an tslua in "I gcaife cathrach" ón gcnuasach céanna:

A dhaoine
I measc scuainí am lóin,
Tugann bhur míchompord
Sásamh beag dóite dom.

A bhalbhána
Dual do dhuine caint
Mar anlann ar ocras.

Ach
Tar éis ár mbéile
Agus ár nuachtáin a ithe
Beag beann ar a chéile,
Roinnim libh bhur míshocracht.

Díleá na coitiantachta,
Míorúilt chathrach
Na n-iasc is na mbollóg.

Nuair a dhírítear go báúil ar phobal na cathrach, is ar an lucht oibre atáthar ag díriú. I gcás Uí Mhuirthile, cuirtear fo-aicmí fiáine na cathrach i gcodarsnacht le lucht na postúlachta agus na moráltachta bréige i véarsdráma mar "Tine Chnámh". Sna portráidí óige ag Ó Muirthile – "Portráid Óige I", "Portráid Óige II" agus "Portráid Óige III" – is geall le pearsana tuaithe iad an ghnáthmhuintir atá á móradh, gnáthdhaoine tíriúla neamhspleácha ar chuma leo faoi ghnáis na measúlachta agus arb é "garbhchríocha" a ndaonnachta a mheallann an file óg chucu. Tá sé suimiúil go bhfaightear an cineál céanna léirithe i saothar file níos óige, Louis de Paor.

Maidir leis an bhficsean, tá an claonadh aicme céanna le haithint. Dírítear ar shaol an mhic léinn dhrabhlásaigh in *Lig Sinn i gCathú* (1976) le Breandán Ó hEithir agus in *An Uain Bheo* (1968) le Diarmaid Ó Súilleabháin, mar shampla; scrúdaítear aigne iar-othair le haimnéise chomh maith le saol iar-andúileach drugaí i gCorcaigh in *Ar Bhruach na Laoi* (1995) le Liam Ó Muirthile; díríonn Déirdre Ní Ghrianna ar shaol fho-phobal

Caitliceach Bhéal Feirste in *An Gnáthrud* (1999). Is i gcodarsnacht leis na haicmí socraithe meánaicmeacha nó leis na húdaráis shóisialta agus mhorálta a léirítear na príomh-phearsana sna scéalta seo ar fad.

Cén stiúir atá faoin litríocht uirbeach le blianta beaga anuas? Céard atá á scríobh? Céard is féidir a scríobh? Cad iad na treonna atá á ngabháil ag scríbhneoirí? Cad iad na roghanna atá á ndéanamh acu? Sílim go bhfuil trí phríomhstraitéis chumadóireachta sho-aitheanta á gcleachtadh ag scríbhneoirí Gaeilge atá ag iarraidh ficsean uirbeach a chruthú. Is é an chéad cheann ná treo na réaltachta fíorúila. Is réaltacht fhíorúil atá á cruthú nuair a dhéantar Gaelú ar thimpeallacht shóisialta nach timpeallacht Ghaeilge í. Úsáidtear cur i gcéill an réalachais shóisialta le réaltacht fhíorúil – réaltacht an leabhair – a chruthú trí mheán na Gaeilge. Úsáidtear cleasanna ar leith leis an scéal a chur abhaile mar scéal inchreidte Gaeilge i saothair áirithe. Tá Gaeilge ag carachtair áirithe mar gur fhreastail siad ar Ghaelscoil, nó gur tógadh le Gaeilge sa chathair iad nó gur daoine iad a bhog go dtí an chathair ón nGaeltacht. Dá siúlfaí bóthar an réalachais shóisialta i gceart, is téacsanna dátheangacha a bheadh á gcruthú, agus cé go bhfuil méid áirithe dátheangachais á cheadú anois i bhficsean éadrom na Gaeilge, cuireann polasaithe foilsitheoireachta na gcomhlachtaí Gaeilge srian leis an gclaonadh sin i dtreo na réaltachta teangeolaíche.

An dara treo atá faoi fhicsean comhaimseartha na Gaeilge ná an treo féinbhreathnaitheach, dírbheathaisnéiseach, síceolaíoch. Is é an reacaire, ar Gaeilgeoir é, an pointe fócais sa chineál seo ficsin agus, dá bhrí sin, ní gá a bheith buartha faoi inchreidteacht. Samplaí maithe is ea *Caoin tú féin* (1967) agus *Ciontach* (1983) le Diarmaid Ó Súilleabháin, *An Branar gan Cur* (1979) le Breandán Ó Doibhlin, *Duibhlinn* (1991) le Ciarán Ó Coigligh nó *Céard é English?* (2002) le Lorcán S. Ó Treasaigh.

An tríú treo ná treo an osréalachais nó an réalachais draíochta. Sa chineál seo ficsin, caitear cur i gcéill an réalachais shóisialta i dtraipisí agus cruthaítear domhan samhlaíoch de chineál eile ar fad. Tá saoirse iomlán ag an scríbhneoir a théann an bóthar seo. Is í an fhadhb ná gur deacra léitheoirí a thabhairt leat ar an mbealach. Samplaí maithe is ea na gearrscéalta neamhréalaíocha le Dara Ó Conghaile, Dáithí Ó Muirí, Micheál Ó Conghaile, Pádraig Ó Siadhail agus Biddy Jenkinson.

Dá mbeifí le ceann thar a chéile de na modhanna seo a shamhlú le ficsean uirbeach an Chadhnaigh, is é treo an réalachais draíochta é. In ainneoin a ndúirt sé féin faoin litríocht uirbeach in *Páipéir Bhána agus Páipéir Bhreaca*, níor fhéach sé leis an dlúthaithne sin a bhí aige ar an gcathair agus ar phobal na cathrach a léiriú ina shaothar cruthaitheach. Ní dheachaigh sé treo na réaltachta fíorúla ná níor roghnaigh sé conair na dírbheathaisnéise.

Ina ionad sin, chruthaigh sé saothar ficseanúil a léiríonn cuid de na tréithe sin a d'aithin na criticeoirí Francacha Gilles Deleuze agus Félix Guattari, ina saothar cáiliúil ar Kafka: *Kafka: Pour une Littérature Mineure* (1975): gur saothar dí-fhearannaithe é, saothar a d'fhéadfadh a bheith lonnaithe in áit ar bith, nach bhfuil ar ancaire i gcomhthionól réigiúnach ar leith; gur saothar polaitiúil é, de bharr nach féidir éalú ó pholaitíocht an mheáin ina bhfuil sé scríofa; gur saothar é a bhfuil toise láidir fáthchiallach – agus dá bhrí sin toise láidir pobail – ag roinnt leis mar tá bríonna nach bríonna litriúla iad le baint as.

Nuair a bhí Deleuze agus Guattari ag trácht ar *la littérature mineure*, ní litríocht i mionteanga nó i dteanga mhionlaithe a bhí i gceist acu, ach an litríocht a chruthaíonn mionlach i mórtheanga, ar nós litríocht na Gearmáinise sa chathair Sheiceach, Prág. Ach is dóigh liom féin go bhfeileann an sainchuntas a thugann siad ar mhionlitríocht go ginearálta freisin do chás litríocht na Gaeilge sa mhéid gur litríocht í atá ina scáthán ar bhail an phobail mhionlaithe. Feileann sé go háirithe don chineál litríochta a chruthaigh Ó Cadhain i dtreo dheireadh a shaoil: litríocht nach bhfuil ar ancaire i saol comhthionóil, ach saothar a thagraíonn go fáthchiallach do chinniúint pobail agus do chinniúint teanga. Is i réimse seo an tsaothair litríochta atá neamhréigiúnach, polaitiúil agus fáthchiallach is cóir an gaol idir saothar Uí Chadhain agus saothar Kafka a mhíniú, dar liom. Is é mo bharúil gur i gcomhthéacs seo litríocht an mhionlaigh is cóir freisin cuid mhaith den fhicsean neamhréalaíoch a foilsíodh sa Ghaeilge le blianta beaga anuas a lonnú agus a léirmhíniú.

Scoláire iomráiteach liteartha í, Máirín Nic Eoin, Ceann Roinn na Gaeilge ag Coláiste Phádraig, Droim Conrach. Ar na hábhair taighde aici tá litríocht Ghaeilge sa chomhthéacs comhaimseartha agus stairiúil, agus forbairt chur chuige criticiúil d'fhoirmeacha agus do théamaí na litríochta i dteanga mhionlaithe. Tá ocht saothar critice agus beathaisnéise foilsithe aici, an ceann ba dhéanaí acu Ó Theagasc Teanga go Sealbhú Teanga: Múineadh agus Foghlaim na Gaeilge ar an Tríú Leibhéal *(Cois Life, 2009), á chur in eagar ag Ríona Ní Fhrighil. Cónaíonn sí i gCo Bhaile Átha Cliath.*

CEITHRE DHÁN

Seán Ó Leocháin

HAITI 2010

Tá sí ag ní an chupáin le seachtain
os ár gcomhair ar an teilifís
i mbáisín uisce atá aici,
á thumadh arís is arís.
Ní féidir suaimhneas a chur inti,
Níl súil le tógáil di
á chur ó lámh go lámh
mar bhean a chaill a ciall
ó thit an domhan sa mhullach uirthi,
más í atá ann in aon chor
aon oíche ar nuacht a naoi.
Ní féidir cur isteach uirthi
ná teacht idir é is í,
an gnó atá idir lámha aici:

obair ina gcuireann sí di
an léirscríos atá déanta uirthi,
gníomh ina gcoinníonn sí greim
ar an gcuid atá fágtha aici
ó d'oscail an talamh faoina cosa,
ó thit an tóin as an saol,
ag leanúint uirthi gan sos
go mbeidh sé chun a sástachta
cé go bhfuil sé sciúrtha sciomartha,
níos glaine ná a bhí sé riamh —
ceist bháis is bheatha aici
a chuireann sí arís is arís
is gan freagra na ceiste aici
aon oíche ar an teilifís.

FAOI CHOIM

Nuair a deir sí focail mar *craiceann, colainn, cneas*
ní mór dom mé féin a choinneáil.
Agus nuair a dhéanann sí sampla di féin,
ag tarraingt a geansaí i leataobh
lena thaispeáint céard atá sí a rá,
feicim a cabhail is a cneas.
Tá stoda ina himleacán, is nuair a spréann sí
a méara amach, á choinneáil lena crios
is é luite lena cliathán go deas,
téann a bhfuil ionam le báiní.
Cé gur i siopa san aerfort atáimid,
gan á dhíol aici ach sparán
le caitheamh faoi mo chuid éadaigh
leis an airgead a choinneáil slán,
gluaiseann rud éigin amach uaim.
Agus nuair a shíneann sí chugam an paicéad –
ceann glan as an tarraiceán –
gníomh collaí gan náire an teagmháil
cé nach bhfeiceann sí féin an dainséar
ná gur peacach poiblí atá ionam
nuair a shínim chuici mo lámh.

SNA NUACHTÁIN

Tá mé ag coinneáil an chorda duit, aimsím an siosúr.
Tá an páipéar ar an mbord os do chomhair,
nuacht an bhaile mhóir ann is nuacht an chontae –
filleann tú faoi dhó é is filleann tú arís é,
á dhúbailt isteach ar a chéile.
Ach osclaíonn tú arís é is cuireann tú isteach

dhá shlisín bagúin, sula bhfilleann tú athuair é,
sula bhfilleann tú den uair dheiridh é.
Tá an corda ag lúbadh isteach is amach –
leagaim mo mhéar ar na snaidhmeanna duit.
Scríobhann tú an t-ainm is an seoladh
ar an imeall mór bán.

Beireann tú greim láimhe orm
agus an bealach ar fad go dtí Oifig an Phoist
tá an beart sa lámh eile agam.
Coinním orm ag na céimeanna, an dá chéim mhóra,
is trasna an urláir go neirbhíseach,
á shíneadh in airde ag an gcailín:

caitheann sí isteach sna scálaí é,
buaileann sí an stampa air,
sméideann sí orm is caitheann sí nath éigin liom.
Ach fágaim ann í le scéalta na seachtaine
is, i mo smuigleálaí gan fhios, le solamar súmhar
do m'aintín i Sasana iarchogaidh.

LEATH LEAPA

"Do chaitheadar a gcuid an oíche sin
agus do chuaidh Diarmaid do chodladh idir Aonghus agus Gráinne
nó go dtáinig lá gona lánshoilse arna mhárach."
Tóraíocht Dhiarmada agus Ghráinne

Nuair a léim sé isteach sa leaba
is codladh orm tar éis an tsuipéir,
is maith a bhí a fhios agam
na focail ba cheart dom a rá.
Ach níor éirigh liom teacht eatarthu
leis an gcogar mogar a bhí acu
agus chuir sé ó chodladh na hoíche mé
ar thug mé liom dá gcomhrá.
Ach dúirt mé an rud a dúirt mé –
d'athraigh sé a phort ar an bpointe,
tharraing sé an phluid thar a chluasa
is d'fhan ina chnap go lá.

Ach chuir sé a chosa i dtaca ó shin
agus ó tá an scéal mar atá
caithfidh duine éigin eile a rá leis
gan amadán a dhéanamh de féin.
Is maith leis an solas a bheith air
ach tá bob le bualadh air
is ní bheidh sé buíoch de féin:
ó tharraing sé aird air féin
ní féidir ciall a chur ann
agus ní lú a chuirfinn thairis
fáilte roimh an bhfocal fonóide
ná luí leis an mbrídeog roimh an mbainis.

Rugadh Seán Ó Leocháin i 1943 agus is é údar bhreis agus 10 n-imleabhar filíochta é, an ceann ba dhéanaí acu Oiread na Fríde (Just a Little, An Clóchomhar, 1998). Tá rogha dá chuid filíochta le teacht ar ball ó Chló Iar-Chonnacht. Theagasc sé Gaeilge i meánscoil le blianta fada, agus tá sé ina chónaí ar fad i mBaile Átha Luain, Co na hIarmhí.

SHORT STORY & POEMS

Gabriel Rosenstock

"… EVERYTHING EMPTYING INTO WHITE"

After the vision.

She herself was from Lipica. Lipica of the countless caves and souterrains. Snobbish white horses. If one may put it like that. Not so. They have airs and graces only when they perform. Leave them to their own devices and they are perfectly fine.

"Born black, I understand?"

She nodded. Tired of answering the same old questions, was she? I made a mental note not to ask too many questions. She responded nonetheless.

"As black as your Aesop! Can't say I'm terribly interested in them. They are so clichéd, aren't they? Like yourselves and the leprechauns."

I let it pass. Lipizaners and leprechauns. Tenuous. Good word that. A word to describe much of what we had heard during the conference.

It was my first time in Slovenia. Miljana – that was her name – was my minder. I would have been happy enough to be alone (I think) but we lecturers were each assigned a personal assistant. Some of them more of a nuisance than an assistance, possibly. Mentioning the horses was just passing the time. Small talk. Talk for the sake of talk. For someone who earns his living by talking, I'm not much good at it, am I? Not unless I'm rattling on about folkloric motifs. The water nymph and the veil. Greek legend. Compare to similar myths and legends concerning mermaids and kelpies in Ireland and Scotland. Compare and contrast the sexual tropes in Greek myths and Irish tales concerning mermaids and nymphs..

Yes, yes! Yes, you will give me back my veil, yes you will, but not before you have learned to love me more than any man has ever loved before. Then, and not until then, will you give me back my veil so that I may join my sisters again, nymphs immortal as the rivers.

"If you wish, of course, we can go and have a look at them after the conference."

Nymphs? Oh, horses.

"I'm quite content to see them from my window. They fill me with calm."

That was true. To an extent. When they grazed I felt quite unruffled. But when one or two of them decided to trot around the field, flicking their tails for no obvious reason, only to return more or less to the same spot, sometimes rubbing one neck against the other, then I was no longer calm. No.

She looked at me curiously, not knowing what to make of me. Her long, golden hair. Mane-like. Her white body, whiter than the Lipizaners.

"And strength," I added. "They fill me with strength."

True. And yet sometimes they drain me of everything.

"Strength? Might it not be all in your imagination?" Hard to detect from her tone, her inflexion, if the observation contained irony or not. Myths and legends, their origins, that's my field, yes, but that doesn't mean I believe in fairy horses. Like most scholars, I'm a rationalist. I don't know if I ever met a colleague who – that's not quite correct. Finlay, from Edinburgh. He went a bit funny in the end, didn't he?

She kicked some leaves that had gathered together on the gravel path. Idly. Without any force or malice. But not quite playfully either.

"Going by the paper you read yesterday, you must have some imagination!"

I was slowly beginning to warm to her. She was trying to be friendly. Informal. That was her function after all.

"Know something about ancient Greek fables then, do we?" I asked, teasingly.

"Well, thanks to your paper, I do now. I had forgotten – if I knew it at all – that Aesop was black. Is your room OK?"

"Fine." I didn't know what else to say. The bed is a bit lumpy? Sheets slightly damp? Wall paper so old-fashioned. The prints on the wall. Those romantic sunsets. But the view from the window compensates for any defects. Something like that? But I wasn't fast enough. I rarely am. Scholars think slowly. I kicked some leaves as if by repeating her action earlier we would, somehow, no longer be strangers to one another. They were already turning black and mushy.

We were taking the air. Literally. I was trying to scoop as much of it as I could into my lungs. A little break before lunch. A stroll. Stretching of the limbs. I would have preferred to have been by myself (as I have indicated) but she had a job to do. To be my shadow. Not to leave me out of her sight until I'd been shovelled on to the plane in Trieste. They had "lost" a lecturer at the last conference and it wasn't going to happen again. His wife rang the day after the conference had ended. Where was Roberto? Why hadn't he come home? A heart attack? Gone off with the fairies? (He was a world authority on Persian fairy tales).

Some distance away a cyclist dismounted. In full racing regalia, he stepped towards a fig tree, reached up and gently dislodged a fig, ate it slowly, but with relish, wiped the juice from his mouth, mounted his bike and cycled away. As though he owned the world. He was all in blue. A modern, athletic version of *The Blue Boy*.

I breathed in deeply.

"The air is good here", I remarked.

"You don't have good air in Ireland?"

I looked at her. I wanted to say that the air was drier here but I just smiled, a little sheepishly. Some fifty yards from us I noticed a small apple that had been squashed underfoot. A crow was gorging itself on it, looking around every so often at a magpie who had also eyed the juicy prize. The crow, the blackbird and the raven in Irish and Welsh folklore. Discuss.

"You remind me of someone", she said.

I do?

"France Prešeren, our national poet."

In what way? I would have liked to ask, but didn't. I knew next to nothing about Prešeren but one thing I did know is that no portrait existed, not even a vague likeness. She should have known that this information was in all the guidebooks. Was she teasing me? Maybe she was thinking of something other than physical characteristics?

The gong. She had appeared again, like some innkeeper from a Hammer horror film, or a supervisor in a concentration camp. Eight times the harridan gonged, unflinchingly. Twice would have been more than enough. We made our way towards the dining hall. Miljana, my shadow, preceding me. For a minute, I felt we were prisoners.

I had hoped our little stroll would have done something for my appetite. It hadn't. Time to open the communication lines again. For the sake of good manners if nothing else. I glanced at her left breast and her name tag: Miljana Mahkota. I already knew her name. Why did I need to double check? Just in case. In case of what? In case she had changed her name overnight?

It takes me a day or two to adjust to new surroundings, new accents. The air. The bedroom. The light. Everything, really. How some people make such transitions effortlessly is a wonder to me. How do they do it? Six weeks ago I had given up smoking and that had made me a little fidgety, I suppose, not quite knowing what to do with my right hand. The loss of the familiar cigarette was, I felt, something akin to the phantom limb of an amputee.

No, there was something else amiss. I couldn't put a finger on it.

"Well, Miljana. Do you do this often?"

"What, eat lunch?"

I attempted a little laugh.

"Actually, you're my first!" she grinned, lifting a grey napkin and shaking it, like one might shake a sheet, and reverently covered her lap with it. At least, it struck me as an act of reverence. Self-reverence.

"It's a part-time job. I used to work for a film club in Ljubljana. For about four and a half years. Then the founder died and things were never the same again. Something was lost forever. A vision. Know what I mean?"

"I suppose", I said, lamely.

"It's hard to explain. The vision died with him." She looked into the distance, searching for a word, I thought, a word in her own language, with no exact equivalent to be found in the somewhat formal English we were speaking. Somehow I knew that I would never hear that word from her lips.

"I understand", I said. I tested the bread roll for freshness.

"Are you interested in film?" I asked.

"I was for a while", she replied.

She must have loved that person. That's it, I said to myself, pleased with my discovery. Soup was served. Vegetable soup. Bland. Nondescript. It needed salt. But I had been told to cut back on salt. The bread roll was limp.

"We were living on air in those days", she remarked as she tasted the soup.

I had no idea what she meant and she quickly picked up on this.

"We were a new nation then. We wanted to taste everything, everything that was forbidden. Books, music, film ..." She sprinkled some salt on her soup.

"Of course", I said. "One forgets about such things ... I read something recently, a newspaper report. The film censor in Sweden said that they should get rid of his job. Adults should be allowed to look at anything they want."

"I —"

Her response was interrupted by an announcement that the final session would commence at two o'clock. Why announce it? We all had the programme and everything was running like clockwork so far. But she babbled on nonetheless. I lifted a spoon, mindlessly, and saw myself in it, distorted, a monster from Tibetan folklore. Maybe this is me. Or maybe it's Prešeren? The elusive France Prešeren, tracked down at last. I returned the magic spoon to its place. There was something about this dining space that unnerved me. It might have suited soldiers. Or monks even. Wherever one looked, there was no sign of a feminine touch. How grey the napkins were and how uninviting to the touch. I thought, maybe there are some places left in Slovenia that are still looking back, people for whom the great leap to freedom was a leap too far.

Main course was a choice of pork or fish. We both had the fish. She seemed to be concerned about the bones. Afraid of choking? She handled the dish as one might defuse a bomb. I asked what kind of fish it was. She couldn't think of the English word. Was it caught locally? She didn't know.

We spoke little during the rest of the meal. I couldn't get last night's dream out of my head. I was in a coach. On my own. It was the time of the Austro-Hungarian Empire. I was somebody of some minor importance. The horses were Lipizaners. I was reading Heinrich Heine. I turned a page, casually looked out and saw that the horses had sprouted wings. We were flying.

———

"You didn't like?" she asked.

I had only eaten half of my lunch and what remained was cold, shapeless, desolate.

"It was fine", I answered. "Not very hungry."

"I suspect you spend too much time stuck in books? You should get out more often."

"So my doctor tells me."

It was then that I noticed how astonishingly healthy she looked. All over. Hair. Eyes. Limbs. Eyes. Mouth. Teeth. Gums. Everything. Breath. Fingernails.

"Coffee?"

I said yes.

Neither of us bothered with dessert. She alluded again to my lecture.

"So, Alexander's soldiers brought dozens of tales back with them from India, tales which would influence European storytelling for centuries. You may not have noticed, but your theories annoyed a few people."

"Goodness, why?" I hadn't noticed. I'm slow to pick up on such things.

"Well, some of my fellow-Slovenians in particular, I have to say." She glanced briefly to her left and then to her right.

"Go on." I was curious. I couldn't recall a previous occasion in which a paper of mine had been a source of annoyance. Boredom, yes. But annoyance?

She licked some foam from her lower lip.

"You see, we're not in Yugoslavia anymore. We're all Europeans now and – purely on an unconscious level, you understand – some of us don't like anything that might diminish our sense of the importance of Europe. If Aesop is more Indian than Greek, as you claim, well that's one small chipping away at the foundations of European culture and we won't buy it. I buy it but right-wing bastards are on the move again. Had you said Aesop was influenced by the Irish, that would have been tolerable enough. The Irish are white. But India? A horse of a different colour."

I exhaled deeply. Bastards? Hadn't expected that word from her lips.

"I didn't intend that people should take my lecture personally."

She lifted an eyebrow. How well she did that. What films did they show in that film club of hers? Had she studied them? *Casablanca*?

"Isn't everything personal?"

Is it?

I shrugged. That was the extent of my response.

The eyebrow was still raised, suggesting she needed a better answer than that.

"This conversation is personal, isn't it?"

I thought about this for a second or two.

"No it's not…"

She's confident almost to the point of cockiness. Well, she's of a different generation. What is she, twenty, twenty-five years younger than I am?

"Am I in love with my wife? Now," I exclaimed, "had you asked me that, our conversation would have been personal."

"Are you?" she shot back.

People had begun to disperse, the noise of chairs, laughter, conversation in German, Croatian, French, English, Slovenian; lecturers, minders, administrators all making their way by circuitous routes back to the lecture hall. My name tag was askew. I straightened it and stood up. I closed the middle button of my jacket. My weight had been fluctuating a lot in the past six months but the jacket closed easily. I sat down again. A sudden dizziness. Had I taken the blood pressure tablets?

"Feeling OK?" Her voice was somewhat distant.

I took a swig of water and felt revived. After a little while I stood up. She offered me her arm.

"What happened to your man?" I asked.

"Who?"

"The lecturer who never made it home."

"Oh! Roberto. The trouble he caused! They found him in that big cave, the one in Vilenicia, you've been there. Three days and three nights he spent underground. Poor fellow didn't know if he was coming or going."

I tried to imagine his ordeal.

"We needn't go back to the lecture hall", she suggested.

We were the last two in the refectory, apart from the staff.

It was my turn to raise an eyebrow.

"We could go and look at the Lipizaners. If you like."

That was four years ago. I never saw her again. I was briefly reminded of her by an item on television about the Lipizaners. Don't ask me what it was all about. I didn't hear the commentary, transfixed as I was by the horses. Dancing. Prancing. Leaping out of their skins.

Translated from the Irish, and expanded, by the author.

INA EALA

Go dtí go raibh sé ceithre bliana d'aois
bhí Lucian Blaga
chomh ciúin
le heala

ba sa tréimhse sin
a chuir sé eolas
ar an bhfealsúnacht
agus ar an bhfilíocht

cuardaímis an domhan
go léir
lorgaimis daoine
atá
i riocht
ealaí
aithneofar ar a dtost iad

AN GHAOTH INA TOST

Ní ghéillimse do thaibhsí
Ach tá neach éigin i mbun an ghairdín
An mhaidin Eanáir seo
Is é ina sheasamh sa tsneachta
Gan chorraí.
Gan olagón ná uspóg ón ngaoth.

N'fheadar an bhfuil a chúl liom nó nach bhfuil
Mar tá géaga eadrainn
Géaga loma fuara idir mé is imlíne an duine sin
Is mise ann
Im fhinné taibhsiúil ar an saol.

Olagón ná uspóg níl ón ngaoth.
Ó dhomhan balbh aineoil gan trua
Gan taise titfidh an sneachta arís.
Scláta liath sioctha a bheidh sa spéir.

Tagann snag breac
Iniúchann an t-oighear sa bhfolcadán éan:
Ró-righin; ní bhrisfeadh sé go deo é lena ghob.
Bailíonn sé leis.
Cén fáth nach mbrisfinn dó é?
Ach conas?
Táimse rófhada ag féachaint orm féin.
Nílimse istigh
Is ní mise eisean, an té sin amuigh.

MÁTHAIR SHÚIGH: GRIANGHRAF DE GHIN

Gin cúig lá d'aois.
Féachann tú iomlán
Ach níl tú tagtha fós ar an saol.
An chuma ort gur ag stánadh orm atá tú
Is tú ar tí rud éigin a rá
Ní ar do shon féin ach ar son gach sutha:
Rún nach roinnfear liom go brách.

Mar dhath, mar mheall, mar chruth a fheicimse thú.
Sin uile. Cad is léir duitse?
An raibh scal ón gceamara ann a bhain preab asat,
A chuir sceimhle ionat?
An eol duit cad is pian ann? Pléisiúr?
An gcloiseann tú aon ní?
Rud ar bith? Gíocs?

Trí chroí atá ionat. Trí chroí. Conas a sheasann tú é!
Gin cúig lá d'aois.
Braithim gur sine i bhfad thú ná mé
Is go mbeidh tusa is do leithéid fós thart
Tú féin is do dhúch
Sa tsrúill
Is sinne glanta go deo den phláinéad,
Speiceas aonchroíoch.

A poet, short-story writer and translator, Gabriel Rosenstock was born in 1949 in Kilfinane, Co Limerick and is a graduate of University College Cork. One of the "Innti" poets that transformed Irish-language poetry in the 1970s, he writes primarily in Irish and is the author or translator of over 150 books. His most recent collection of poetry is Bliain an Bhandé *(Year of the Goddess, The Dedalus Press, 2007).*

DÁN

Pádraig Mac Fhearghusa

MAIREANN IARÚSAILÉIM

Neach íogair an doilíosach, éileamh ar mhóradh aige,
    Ach ós earra gann an móradh, santaíonn brionn níos fairsinge,

Níos iomláine a mhúnlú ina ghairdín anama.
    Neach réasúnach é, dá ainneoin sin, a dteagmhaíonn a spága

Le conair chrua an lae, is aithníonn gur cur i gcéill
    Sea an ráig taipéis uilechuimsitheach a shníomh

As cora casta an tsaoil, nó is lú is féidir
    Uain bheannaithe i láthair Ríon an Uaignis a ghiniúint

As a chuid neamhní – ach leanann air, pé acu file é nó fealsamh,
    Amhail is go bhféadfaí an mhíorúilt a thabhairt i gcrích.

Galar creidimh a ghalar; a leithscéal nár mhiste fallaing
    Thar fholús; nó cá bhfios ná go mb'fhéidir gurb ann don phóg

A dhúiseos as ár suan sinn: abair, a chroí dhílis, liom,
    Go maireann Iarúsailéim! Och! Iarúsailéim, is cathair í

A bhíonn go síoraí á turnamh ag an saol, a geataí
    De shíor á dtréigean, fallaí a dúna á mbearnú, a clann á ndíol

I gcuibhreachaibh, cruit Dháibhí Rí 'na tost sa dóib, Banríon Óifír
    Ar shiúl thar mhaola an fhásaigh. Más file, ámh, ardóidh an chruit,

An deannach á muirniú go caoin dá téada, siosmaí deoil ón díseart leis á rá
    Aos coimhdeachta na Ríona a bheith ag gabháil thar bráid.

Rugadh Pádraig Mac Fhearghusa i gCo Chorcaí i 1947, agus oileadh i gColáiste Ollscoile Bhaile Átha Cliath, i gColáiste na Tríonóide Baile Átha Cliath agus i gColáiste Ollscoile Chorcaí é. Tá cúig imleabhar filíochta foilsithe aige ó 1980, An Dara Bás agus Dánta Eile (Coiscéim, 2002) an ceann deiridh acu. Ar na foilseacháin eile uaidh tá Tóraíocht an Mhíshonais, intreoir i nGaeilge ar obair Freud agus Jung (Coiscéim, 1997). Is é eagarthóir Feasta, an míosachán liteartha Gaeilge é, agus tá sé anois ina chónaí i dTrá Lí, Co Chiarraí.

CEITHRE DÁNTA

Paddy Bushe

FARDORAS, SCEILG MHICHÍL

Ar ardán scoite tamall amach leis féin
Atá an t-aireagal, mar a bheadh manach
A thuig gan phostúlacht a thábhacht féin
I leith Dé agus i leith na mainistreach.
Cromtha isteach air féin, caitheann sé uaidh
An ceobhrán atá á shileadh ag an oileán.

Gealann sé diaidh ar ndiaidh istigh
Sa domoladh tais, an braon beag anuas
Chomh rialta céanna le cloigín éadrom
I gciúnas an chaonaigh. Sníonn an solas
Idir an doras íseal agus an fhuinneog
A osclaíonn amach ar aer is ar fharraige.

Tá an fardoras leathan, leithead an aireagail
Ó thaobh taobh sula gcúngaíonn sé,
Dingthe isteach sna fallaí, ag iompar
Ualach cloch atá saoirsithe chun míne,
Chun bheith istigh leo féin, gan stró,
Mar éin in ealta, nó mar éisc i mbáire.

Sa leathdhorchadas, barra mo mhéaranna
Agus tóirse om threorú, rianaím amach
An chros faoi cheilt ar íochtar an fhardorais
Gurbh leac uaighe í tráth, leac an anamcharad
Ar shantaigh na manaigh é mar chloch taca
Coimhdeachta, chun díon a n-urnaithe

A thógáil suas ó fhuaimint go firmimint,
Chun gath naofa solais a theilgean
Ar aon nathair a bheadh ag lúbarnaíl

Isteach nó amach faoi thairseach a n-aigne,
Agus guaillí leathana a mbráthar naofa
Ag iompar ualach a mbeatha os a gcionn.

LINTEL, SKELLIG MICHAEL

On a terrace set a little while apart
You find the oratory, like a monk who knew
Without officiousness his own standing
In the eyes of God and of the monastery.
Hunched in on itself, it shoulders off
The mist that the island is shedding.

Little by little it brightens inside
In the damp and must, the drop down
Just as regular as a tinkling bell
In the mossy silence. The light flows
Between the low doorway and the window
That opens out onto the sea and the air.

The lintel is broad, the breadth of the oratory
From side to side before it narrows,
Wedging itself into the walls, bearing
A weight of stones masoned into smoothness,
Into being at ease with themselves, effortlessly,
Like birds in a flock, or fish in a shoal.

In the half-light, the tips of my fingers
And my torch as guides, I trace out
The cross hidden on the lintel's underside
That was once the gravestone of the *anamchara*
Whom the monks craved as a buttressing
Guardian, to lift the roof of their prayer

From foundation up to firmament,
To lance a ray of sacred light

Towards any snake that would insinuate
Itself under or over their mind's threshold,
While the broad shoulders of their holy brother
Bore the weight of their lives overhead.

OILEÁNÚ, SCEILG MHICHÍL

Tá an Sceilg iata ag an aimsir.
Gaoth ag éirí arís. Grian agus scamaill
In iomarbhá airgid agus luaidhe
Go geal éadrom, go dubh trom, fuadar
Agus fuirse faoin bhfarraige atá meáite
Ar oileán i ndiaidh oileáin aonair
A chruthú ar dhromchla na cruinne.

Ní ann don Uíbh Ráthach ná Béara.
Ar fhíor na spéire, chím, ar éigin,
An Scairbh, Duibhinis, Oileán Dá Cheann
Ag síneadh uaim, smeadar i ndiaidh smeadair,
Ó dheas isteach sa gceo, amach san aimsir.
Mar sheilimide éigin farraige, cúngaím isteach
Ionam féin, im pheann luaidhe, ins an oileán.

ISLANDING, SKELLIG MICHAEL

Skellig is enclosed by the weather.
Wind rising again. Sunlight and clouds
In a silver and lead contest
Of airy light and heavy dark, a hustle
And bustle driving a sea that's determined
To create island after solitary island
All over the surface of the world.

Iveragh and Beara have disappeared.
On the horizon, I make out, just,

Scariff, Deenish, Two-headed Island,
Stretching from me, smudge after smudge,
Southward into the fog, out into the weather.
Like some sea-snail or other, I shrink
Into myself, into my pencil, into the island.

MÓINÉAR
do Mháire Breatnach

Nuair a chasann tú, samhlaím cocaí féir
Suite go státmhar ar choinleach ghlas,
Cumhracht shamhraidh coigilte i measc brobh
Agus cuimhne an mheithil go teolaí ina gcroí.

Fómhar fairsing é seo, bainte go húrnua
As cleachtadh na sinsearachta, bailithe
Le flosc chun oibre in aimsir nótálta,
Ag caomhnú solais in aghaidh an gheimhridh.

Sa scioból, amach anseo, déanfar iontas de seo
I measc comharsan: téagarthacht, milseacht
Luibheanna i mbéal tréada. Anois is leor
Sásamh agus sos. Anois samhlaím tráithníní,

Tráithníní ceoil á sníomh is á gcasadh
Ina súgáin shíoda i móinéar an chroí.

SÍNITHE

Seo éan ar ghas giolcóige, a scáil ghlé
I scáthán an locha luasc ar luasc leis,
Mar pheannaireacht éadrom ag spraoi le meadaracht.

Seo ceo brothaill á chrochadh mar shíoda
Anseo is ansiúd ar ghuaillí na sléibhte,
Fraoch ina thúis in onóir dá mbuanacht.

Seo corr iasc ar bhruach an locha,
Sneadh fada a scrogaill agus éirí in airde
A choisíochta chomh stádmhar le mandairín.

Seo claochló oirthearach Uíbh Ráthaigh:
Insint nua le léamh ar an ndúthaigh,
Sínithe le scuab ón nDomhan Toir.

See p. 85 for biographical note.

AN FOCAL SCOIR

Pádraig Ó Siadhail

Caibidil a hAon

Úrscéal é a bhí neadaithe ag barr liosta na leabhar mór-ráchairte nuair a thug BJ d'Iain é mar bhronntanas Nollag. D'amharc sé ar an bhlurba is ar na gearrthuairiscí moltacha … "Léamh den scoth é *An Focal Scoir*" … "Ní chuirfidh tú uait é ar ór nó ar airgead" … "Rachaidh scéal na bpearsan go croí ionat" … "Leabhar draíochta é a athróidh do shaol" … "Léigh é ANOIS!"

"Ó," ar seisean, agus chuir cár air féin léi. "Cad eile is féidir leat a rá más é an focal scoir é?"

"Huh, cheap mé go dtaitneodh sé leat," arsa BJ. "Sin an leabhar deireanach a cheannóidh mé duitse."

Caibidil a Dó

Maidin Dé Sathairn cúig mhí ina dhiaidh sin, tharraing Iain amach an t-úrscéal, de roghnú randamach, as túr corrach leabhar nach raibh léite aige. Chroch sé leis go dtí an seomra folctha é agus phlanc é féin síos ar an leithreas. Léigh sé cúpla leathanach an babhta sin gan téamh le plota nó le pearsana gur fhág an t-úrscéal ar leac na fuinneoige. Chríochnaigh sé an chéad chaibidil an tráthnóna sin nuair a bhí a chuid putóg ag cur crua air. Is ar éigean a bhí an ceann bainte aige den dara caibidil an mhaidin dár gcionn nuair a thosaigh duine dá chlann iníonacha ag tuargaint an dorais. "Brostaigh, a Dhaid. Ní thig liom fanacht a thuilleadh. Tá Mam ag tógáil cithfholctha thuas staighre. Brostaigh! …" Lig Iain osna gur chaith an leabhar ar ais ar an leac. Ba mhairg don athair nach bhfaigheadh stáir léitheoireachta sa seomra folctha féin. Is éard a bhí ag teastáil uaidh is ó BJ seomra *en suite*.

"Cad é do bharúil air?" arsa BJ leis tamall ina dhiaidh sin. Bhí sí ina seasamh ag an bháisín sa seomra folctha, a pitseámaí uirthi go fóill, gallúnach ar a dhá láimh aici agus í ag pointeáil ar an leabhar. Bhí Iain ar tí imeacht síos chuig an siopa ar a rothar chun nuachtáin an Domhnaigh a fháil.

"Inseoidh mé duit faoina mbeidh mé réidh leis," a d'fhreagair sé. Theann sé isteach lena bhean, sháigh a lámha suas faoi chasóg a pitseámaí gur chuimil a cíocha.

"Mmm … Is breá liom iad siúd," ar seisean.

"Má chríochnaíonn tú é roimh do bhreithlá, ceannóidh mé leabhar eile duit – b'fhéidir," ar sise, agus í ag gáire. "Anois cuir uait sula bhfeice na cailíní thú."

"Lig dom bomaite … an ndúirt mé leat gur breá liom iad siúd?"

"Nach cuimhin leat cad a deireadh do mháthair i gcónaí … ná tosaigh ar rud mura bhfuil tú chun é a chríochnú. Scuit, agus leanfaimid de seo anocht …"

"Agus críochnóimid é fosta," ar seisean, ag tabhairt póigín tapa do chúl a muiníl.

Níor lean is níor chríochnaigh. Leag veain champála Iain cúig bhomaite ina dhiaidh sin. Maraíodh ar an toirt é. Timpiste mhí-ámharach é. Tiománaí Francach a bhí ann, fear nach raibh taithí aige ar bhóithre tuaithe na hÉireann.

Caibidil a Trí

Ba chráite na laethanta iad. Trí aimsir mharbh an tórraimh. Trí scóladh croí na sochraide. Trí na huaireanta bréag-gháireacha nuair a bhíodh an teach lán le daoine muinteartha leo, le cairde agus le comharsana. Trí na tráthnónta fadálacha nuair nach mbíodh aon chuairteoir thart. Ba mhinic a thug BJ aghaidh ar an seomra folctha chun cúpla bomaite a bheith aici ina haonar. Mura mbíodh sí ag caoineadh ar dhul isteach sa seomra folctha di, ghoileadh sí uisce a cinn gach uair dá mbreathnaíodh sí ar an leabhar ar leac na fuinneoige. Thógadh sí anuas é, chasadh é ina láimh agus d'osclaíodh é ag an leathanach a raibh blúirín páipéir leithris sáite ag Iain ann mar leabharmharc. B'iomaí smaoineamh a ritheadh trína haigne de réir mar a d'fhéach sí le ciall a bhaint as imeachtaí lá bhás Iain. Ba iad siúd na habairtí deireanacha a léigh sé … An raibh aon réamhaisnéis aige ar a raibh le tarlú? Ach ba é fírinne an scéil nach raibh ciall le fáil sa leabhar faoina bhás, nó aon chiall le baint as an bhás féin. Ghlanadh BJ na deora óna súile, d'fháisceadh an leabhar lena croí ar feadh soicind, leagadh é ar ais ar an leac, bhrúdh fúithi an tocht ina scornach, is dheifríodh amach as an seomra.

Caibidil a Ceathair

Lean an teaghlach ar aghaidh. Ní raibh an dara rogha acu agus BJ ar ais ag obair sa stiúideo grianghrafadóireachta agus an chlann iníonacha ar ais ar scoil. Bhí Heather sa tríú bliain ar an ollscoil, Sue sa dara bliain ann agus Kate ag ullmhú chun an Mheánteist a dhéanamh. Ba dhoiligh dóibh dul amach os comhair an domhain arís ach, ar a laghad, ligeadh na hamanna ollscoile is oibre sin don teaghlach éalú ón teach, a bheith i measc daoine, a bheith gnóthach is dearmad a dhéanamh ar a raibh i ndiaidh tarlú ar feadh tamaill. Mar níor thúisce ar ais sa bhaile iad go mbriseadh an fhírinne dhearóil isteach orthu.

Ag tús an fhómhair, shocraigh siad ar dhinnéar mór a chur ar siúl chun breithlá Kate a cheiliúradh. Ní raibh BJ ag iarraidh an ócáid a bheith acu ach ba é tuairim Heather agus Sue go raibh ócáid bheag ar leith dlite do Kate agus gur tógáil croí a bheadh ann dóibh uilig. Chuireadar rompu béile speisialta a ullmhú: ba í an uaineoil rogha bia Kate. Bhí buidéal fíona ghil oscailte ag Heather. Bhíodar go léir ar a ndícheall le bheith gealgháireach normálta.

"Ba bhreá le Daid an uaineoil seo," arsa Heather. "Bheadh sé ag iarraidh cuid a sciobadh ónár bplátaí nuair nach mbeimis ag féachaint."

"Is a chinntiú gur aige a bheadh an braonán deiridh fíona," arsa Sue, agus í ag líonadh na ngloiní arís. "Ar bhonn prionsabálta, ar ndóigh. Ionas nach mbeadh Kate in ann deoch a fháil ar chúla téarmaí!"

"Ólaimis sláinte Kate!" arsa Heather agus d'ardaigh siad a gcuid gloiní in ómós don chailín.

Cibé imní a bhí ar BJ faoi ghloine fíona a bheith ag Kate nó faoin dóigh a raibh an fhreagracht aonair uirthi féin mar mháthair dea-shampla a thabhairt dá clann iníonacha (bhí súil aici nach mbeadh Sue ag féachaint leis an dara buidéal a oscailt), b'ábhar suntais di go raibh Heather agus Sue meáite ar ainm agus cuimhne a n-athar a thabhairt isteach sa chomhrá. Ar chomhartha rabhaidh de chineál éigin é sin? Nó ar chomhartha rabhaidh é nach raibh sí féin i ndiaidh ainm Iain a lua inniu? Is ar éigean a chodail sí aon oíche iomlán amháin ó fuair sé bás. Bhí Jill, duine dá comhghleacaithe, i ndiaidh a insint di go bhféadfadh sí ainm comhairleora a thabhairt di, comhairleoir a bhí tar éis cuidiú leosan déileáil le bás a mic, a bhí gafa le 'E.' Idir an dá linn, thug Jill leabhar di, *Death for Dummies*. B'fhéidir go léifeadh sí an leabhar nuair a shuífeadh sí fada go leor le díriú ar dhreas léitheoireachta. B'fhéidir go rachadh sí chuig an chomhairleoir, agus b'fhéidir go mbeadh an chlann iníonacha sásta teacht fosta. Ach ní go fóill.

Nuair a chonaic BJ Sue ag oscailt an dara buidéal, rith sé léi nach raibh tuairim aici cad is normáltacht ann ó thaobh iompair agus bróin de nuair a chailltear do chéile is nuair a bhristear do chroí.

Leath bealaigh tríd an mhilseog a bhíodar. Thosaigh duine amháin acu ag caoineadh. Bhris a gol ar an chéad duine eile. Ar an phointe, bhí gach duine ag caoineadh. Shuíodar ansin ag an tábla, fuíoll an Black Forest Gateau ar na plátaí os a gcomhair agus iad go léir ag sileadh na ndeor go faíoch.

Caibidil a Cúig

Ba é iarnóin Dé Domhnaigh an t-am ba mheasa le bheith timpeall an tí. Bhí barraíocht ama ann le machnamh a dhéanamh. Nó chluinteá callán amuigh ag cúl an tí is d'ainneoin féin d'ardaíteá do shúile ón nuachtán nó ó leabhar nó ó theilifíseán amhail is go raibh tú ag súil leis go siúlfadh Iain an doras isteach i ndiaidh dó a bheith ag rothaíocht nó ag garraíodóireacht agus go scuabfadh a ghlór ar shiúl an phian is an scóladh croí uilig …

B'fhearr a chinntiú nach mbeifeá sa bhaile. Théadh Heather tigh a buachalla, Rob, de ghnáth. Ógfhear breá é siúd, dar le BJ. "An Captaen Clibirt" a thugadh Sue agus Kate airsean toisc go mbíodh sé ag síorchaint ar a fhoireann rugbaí. Mura raibh a dhath socair lena gcairde ag Sue agus Kate faoi ghabháil go dtí an lárionad siopadóireachta nó an phictiúrlann, théidís le BJ. A chéad stop i gcónaí ná an reilig. D'fhanadh Sue sa ghluaisteán ag éisteacht lena h*I*Pod nó ag seoladh teachaireachtaí téacs chuig cairde léi: ní raibh sí ag an uaigh ó lá an adhlactha is gheall nach rachadh sí ann arís go deo. Thugadh Kate lámh chuidithe dá Mam caoi a chur ar an uaigh. Chuireadh sí paidir bheag le hanam a Daid is d'fhilleadh ar an ghluaisteán chun cúpla bomaite a thabhairt dá máthair léi féin. Tar éis do BJ teacht ar ais chuig an charr, mhealladh sí an bheirt chailíní le dul amach ag siúl léi. Níorbh fhada gur fhoghlaim Sue agus Kate gurbh fhearr na siúlóidí sin a sheachaint mar bhíodh ar a máthair a trí nó a ceathair de mhílte a chur di amhail is go raibh sí ag iarraidh maolú ar an phian ina croí trína colainn a thuirsiú.

Bheadh ar gach iníon mháthar acu teacht abhaile am éigin sa tráthnóna. Ach faoin am sin, ba mhithid díriú ar an tseachtain oibre os a gcomhair is ullmhú chuici.

Caibidil a Sé

B'ann don phian i gcónaí, don bhearna i saol an teaghlaigh. Bhíodh orthu déileáil leis sin gach lá. Ach faoi mar a mheabhraigh BJ di féin, bhíodar i ndiaidh teacht ar chomhréiteach a ligfeadh dóibh fírinne na cailliúna a dhealú ó mhíreanna beaga áirithe dá saol. In ionad an teach a dhíol, d'fhanfaidís ann. In ionad féachaint air mar shíorchuimhne amh ar Iain, b'fhusa díriú ar na suáilcí a bhain le teach ar mhothaigh siad socair sábháilte ann. B'fhéidir nach raibh Sue réidh le dul chuig an uaigh ach théadh gach duine thart leis an chúinne, áit ar maraíodh Iain, cúpla uair sa lá. Cheana, bhí Heather agus Sue tar éis seilbh a ghlacadh ar a charr. Thóg Kate a ríomhaire glúine. Bhí a theileafón póca ag BJ féin. Bhí uaireadóir Iain aici fosta. Nuair a cheannódh sí strapa nua, bhí fúithi an t-uaireadóir a chaitheamh.

Satharn amháin, chuir BJ roimpi dul trí éadaí Iain. Gan an dara fear sa teach níorbh fhiú dóibh a dhath a choinneáil. In ionad amharc ar gach balcais, b'fhusa do BJ breith ar na héadaí go léir agus iad a theilgean isteach i málaí dubha plaisteacha. Chaith siad a bhróga i mála eile. Bhronnfadh sí ar Chumann Naomh Uinseann de Phól iad uilig chun a rogha rud a dhéanamh leo. Dá mbrostódh sí, d'fhéadfadh sí fáil réidh leo ag a siopa inniu.

Chuaigh sí isteach sa seomra folctha. Ní raibh mórán dá chuid fágtha. Bhí duine de na cailíní i ndiaidh a rásúr leictreach a sciobadh. Chaith BJ a scuab fiacla sa ghabhdán bruscair.

Chonaic sí an t-úrscéal ar leac na fuinneoige. Ina luí faoi dhornán leabhar a bhí sé, leabhair fhéinchuidithe ar nós *Death for Dummies*. Thóg BJ an t-úrscéal ina láimh. Bhí sí ar tí é a chaitheamh sa ghabhdán. Nó i mála na mbróg. Stop sí is chuir ar ais ar an leac é. Ba é sin an leabhar deireanach a cheannaigh sí d'Iain. Ba é an focal scoir é, cinnte.

Caibidil a Seacht

Gáire dóite é, b'fhéidir, ach níorbh aon dóithín greann d'aon chineál na laethanta sin. Tráthnóna, ar theacht abhaile ón obair do BJ, bhí Sue ar an tolg, agus a ríomhaire glúine ar siúl aici.

"Cuirfidh mé síos an dinnéar ar ball," arsa Sue. "Tá pota tae réidh ansin. Faigh cupán duit féin is gabh i leith go mbreathnóidh tú ar an suíomh idirlín seo."

Fuair BJ cupán tae is bhog i dtreo an toilg.

"Cad é do bharúil ar na cinn seo, a Mhaim?" ar sise.

Bhuail BJ fúithi taobh léi. Ní raibh tuairim dá laghad aici cad a bhí á mhaíomh ag a hiníon. Gúnaí, b'fhéidir. Nó ticéid shaora eitleáin go Barcelona, dá mbeidís ag leanúint de shnáitheanna comhrá Sue ón oíche roimhe sin. Bhí sí agus a cara úr, Tom, ag caint ar dhul ann do dheireadh seachtaine i mí na Samhna. Plean é sin nach raibh BJ róthógtha leis. Ach duine fásta í a hiníon. Agus ní raibh croí ag BJ a bheith ag troid léi. Anois, dá mbeadh Iain ann …Thóg sé seal soicindí uirthi a thuigbheáil cad a bhí ar an scáileán os a comhair. Grianghraif de leaca uaighe a bhí ann.

"Is breá liom an dearadh atá ar an cheann sin … ach ní fhéadfaimis é sin a dhéanamh ar Dhaid."

Comhrá é seo nach raibh BJ réidh chuige ach b'fhearr é ná ceann faoi Barcelona. Bhrúigh sí fúithi an tocht ina scornach.

"Tá sí go deas ceart go leor …Taitníonn an marmar dubh sin liom …," ar sise.

"Ach bheadh Daid ag iompú ina uaigh dá gcuirfimis leacht mar sin os a chionn.

"Cad chuige?"

"Nach cuma nó siombail fhallach í."

"Cad é?"

"Tá sé cosúil le bo – "

"Is ea, tuigim cad é atá i gceist agat." Ina hainneoin féin, phléasc BJ amach ag gáire.

"Ní haon ábhar fonóide é," arsa Sue, agus í ag féachaint ar a máthair go míshásta. "Bheadh daoine ag magadh faoi – agus fúinn."

Faoin am ar scoir BJ den gháire, shocraigh sí gur mhithid deireadh a chur leis an chomhrá.

"Anois, ós rud é gur luaigh tú é, aithním gur i gcruth bhoi – … gur siombail fhallach é." Mhúch sí an fonn gáire a bhí ag teacht uirthi athuair. "Am éigin nuair a bheimid ceathrar réidh lena dhéanamh, pléifimid é seo a thuilleadh. Rachaidh timpeall cúpla reilig. Go maith atá a fhios agam nach mbeimid ar aon tuairim faoin dearadh atá uainn … I ndeireadh na dála, beidh mé féin curtha faoin leac san uaigh sin, taobh le do Dhaid … Mise agus eisean an t-aon dream a chaithfidh a bheith sásta leis …"

Bhris a gol ar Sue agus d'fháisc BJ chuici í.

Caibidil a hOcht

Nuair a bhí BJ ag ullmhú chun an seomra folctha thíos staighre a phéinteáil, chlúdaigh sí an báisín láimhe, an folcadán agus an leithreas le seanbhraillíní. D'fhág sí an t-úrscéal ar leac na fuinneoige is chlúdaigh é le ceirt.

An tseachtain ina dhiaidh sin, ar dhul isteach sa seomra folctha di tar éis a lá oibre, baineadh stad aisti. Ní raibh an leabhar ann. Agus idir iontas agus imir den scaoll uirthi, rith sé léi gur ghnách léi a súile a chaitheamh thar leac na fuinneoige a thúisce is a théadh sí an doras isteach amhail is gur buachloch é an leabhar. Nó gur adhmaintchloch é a tharraingíodh a rosc chuici.

Sheas sí ann agus a dhá lámh ardaithe chuig a cloigeann aici. An é go raibh sí i ndiaidh an leabhar a bhogadh ach gan cuimhne aici air sin? Bhí sí rud beag díchuimhneach le tamall. Barraíocht rudaí le déanamh aici, barraíocht rudaí le smaoineamh orthu faoi deara sin. Chuardaigh sí an seomra agus d'amharc faoi dhó taobh thiar den radaitheoir faoin fhuinneog ar fhaitíos gur thit an t-úrscéal. Ní raibh sé ann. Caithfidh gur thóg duine de na cailíní é, ar sise léi féin, agus í in amhras air sin cheana.

Bhí sí tar éis casadh thart le déanamh ar a seomra leapa, féachaint an raibh an leabhar curtha aici ann, nuair a chuala sí Sue ag teacht isteach an príomhdhoras. Thuig sí ó na glórtha arda nach ina haonar a bhí sí. Bhí Tom ina teannta.

Tháinig BJ amach as an seomra folctha. Bheadh bomaite aici léi féin ina seomra féin sula dtabharfadh sí aghaidh ar an bheirt amuigh. Is dócha go mbeadh Tom ag fanacht le haghaidh an dinnéir anocht. Lig BJ osna. Ba dheas an rud an chuideachta. Ach uaireanta théadh sé rite le BJ cur suas le comhráite faoi chluichí ríomhaireachta.

Ach cheana bhí Sue i ndiaidh teacht ar lorg a máthar, agus Tom sna sála aici.

"An bhfuil tú i gceart, a Mhaim?" ar sise. "Ar scanraíomar thú? Tá lí an bháis ort."

"Tá … tá mé go breá. Bhí mé ag cuardach rud éigin." Ina hainneoin féin, lean sí di. "Níl a fhios agat cá bhfuil leabhar Dhaid? An ceann a bhí ar leac na fuinneoige?"

"Bhí sé ann ar maidin … bhuel, sílim go raibh. Lig dom breathnú. Déarfainn gur thit sé."

"Sue …"

"Fan bomaite, Tom, agus beidh mé leat."

"Tá a fhios agam cá bhfuil an leabhar."

"Cad é?" Ba d'aon ghuth faobhrach a labhair an bheirt bhan.

"Tá a fhios agam cá bhfuil –." Ba chuma nó polaiteoir é Tom a bhí idir dhá chomhairle ar chóir dó dul sa seans is an timchaint a chleachtadh nó an fhírinne ghlan a insint. "Tá … tá an leabhar agam. I mo mhála sa chistin. Gheobhaidh mé é."

Thiontaigh sé thart le dul ar ais go dtí an chistin gur rug Sue ar a mhuinchille.

"Thóg tusa leabhar mo Dhaid gan chead."

"Thóg … ach …"

"Ba ghránna an mhaise duit é."

"Ach …"

Agus lúcháir uirthi go raibh an leabhar aimsithe acu, bhí trua ag teacht ag BJ do Tom.

"Dheamhan dochar atá déanta," ar sise.

"Ach … ach tar éis dúinn a bheith ag an phictiúrlann an oíche faoi dheireadh, ní raibh mé ach ag iarraidh an t-úrscéal ar ar bunaíodh an scannán a léamh. Tá $60 milliún saothraithe ag an scannán i Meiriceá le mí anuas." Bhí Tom ag féachaint ar BJ, amhail is gur thuig sé gur mó seans a bhí ann go mbeadh trócaire aici dó ná mar a bheadh ag Sue. "Ní raibh mé ag iarraidh an leabhar a ghoid." Chas sé chuig Sue. "Cheap mé gur mhaith leat mé a bheith ag léamh níos mó."

"Ceist iontaofa é," arsa Sue. "Thóg tú leabhar mo Dhaid."

Chaolaigh BJ as an tslí. B'fhearr ligean dóibh an scéal a réiteach. Cibé ar bith, bhí eagla uirthi go dtiocfadh lagar uirthi dá bhfanfadh sí ina seasamh ansin.

Bhí an leabhar ar leac na fuinneoige arís faoin am ar imigh BJ isteach sa seomra folctha an tráthnóna sin.

Ní raibh aoi acu le haghaidh an dinnéir. Bhí muc ar gach mala ag Sue. Níor chall do BJ a bheith buartha faoi Barcelona a thuilleadh.

Caibidil a Naoi

… Bóthar tuaithe a bhí ann, bóthar ar gheall le tollán é de bharr na saileacha silte arda ar a dhá thaobh. Tar éis di a bheith faoi sholas geal na gréine agus a spéaclaí dubha uirthi, thóg sé roinnt soicindí dá súile dul i dtaithí ar an scáth. Go tobann, mhothaigh sí feithicil ag teacht taobh thiar di is ghluais sí isteach níos gaire don díog. Ghlaoigh sí ar Iain druidim isteach. Chas sé beagán ar dheis le stopadh, amhail is go raibh sé ag iarraidh poll sa bhóthar a sheachaint. Bhuail an leoraí roth tosaigh an rothair. Shín sí amach a lámha le breith ar Iain, lena shábháil, lena thabhairt slán. Ach in ainneoin a díchill, bhí sé ag titim i gcónaí gur smiot an leoraí é …

Dhúisigh BJ de gheit, a deasóg sínte ar an tocht agus a hanáil i mbarr a cléibh aici. Bhí léine a pitseámaí tais. Luigh sí ansin ar feadh meandair, í ag ligean don saothar anála síothlú. Ach nuair a mhothaigh sí freanga creatha ag teacht uirthi, thuig sí gur gá di a léine a athrú.

D'éirigh BJ, bhain di an bhalcais, d'aimsigh ceann eile sa chófra gur tharraing uirthi í. Rinne sí ar an seomra codlata, thug sracfhéachaint ar an leac, rinne a mún is d'fhill ar an leaba. D'amharc sí ar an chlog-raidió cois leapa. Fiche bomaite chun a dó a bhí ann.

Tharraing sí an súisín isteach faoina smig, agus chas thart i dtreo an bhalla …

Caibidil a Deich

… Níorbh fhada gur chorraigh BJ sa leaba. Ábhar an tromluí a bhí i ndiaidh a hintinn a bhíogadh faoi deara sin. Smaoinigh sí ar éirí is piolla suain a chogaint. Chuir sí suas den tseift sin ar an toirt. Bhí corrcheann slogtha aici sna hoícheanta i ndiaidh bhás Iain, ach rinne sí suas a haigne ag an am nach rachadh sí i muinín a leithéide. Cibé ar bith, bhí tréimhsí fada oícheanta ann ó shin nuair a chodlaíodh sí go sámh. Na siúlóidí ba chúis leis sin, níorbh fholáir. Ach le tamall anuas, ba go rialta a mhúsclaíodh sí de dheasca an tromluí chéanna.

Ní raibh a fhios ag BJ an raibh ciall le baint as an tromluí. Bhí ar an scalladh croí é féin a chur in iúl ar ais nó ar éigean, ba dhócha. Bhuaileadh rachtanna caointe í gan choinne go fóill agus í ag caint ar an teileafón nó tigh mhuintir Iain. Ní dócha go ndéanadh sí caoineadh chomh minic sin anois ach tar éis di a bheith á traochtadh féin go fisiciúil, ní fhéadfadh an aigne í féin a chur chun suaimhnis chomh héasca sin. B'fhéidir gur mhothaigh sí ciontach ar shlí. Ní i mbás Iain. Ach faoi na mionrudaí amaideacha sin – na cora crua agus na caismirtí beaga – ina saol le chéile. Ach nach mbíonn a leithéid agus cinn i bhfad Éireann níos measa ag gach lánúin? Tríd is tríd, chreid sí go raibh a bpósadh folláin slán. B'iomaí uair a bhí sí i ndiaidh imeachtaí na maidine deireanaí sin a scagadh ina hintinn amhail is gurbh ann d'eipeasóid amháin a d'athródh ó bhonn ar tharla ina dhiaidh sin dá mb'amhlaidh go raibh sí i ndiaidh rud éigin difriúil a dhéanamh. Ach thuig BJ ina croí istigh go raibh an smaoineamh sin chomh bománta le dearcadh na ndaoine sin a mhaíodh gurbh í toil Dé í gur cailleadh Iain.

Cailliúint é nach raibh ciall leis. Cailliúint é nach ndearna ach croíthe a bhriseadh agus teaghlach a sciúrsáil. Rith sé le BJ anois, agus ina leaba, gurbh é an míniú ba dhóchúla ar an tromluí ná léiriú ar an fhearg a bhí uirthi le hIain gur éag sé agus gur fhág sé ualach thógáil na clainne uirthi.

Chuir BJ cluas le héisteacht uirthi féin. Bhí duine ag gluaiseacht thart thíos staighre. Heather a bhí ann, ba dhócha, tar éis di a bheith amuigh le

Rob. Má bhí an Captaen Clibirt le fanacht ina seomra thar oíche, b'fhearr gan a fhios a bheith ag BJ, gan aon rian de le feiceáil aici ar maidin. Ansin ní bheadh uirthi an scéal a fhiosrú. Uaireanta b'fhusa gan rudaí a thabhairt faoi deara ná paidir chapaill a dhéanamh díobh. Ach dá mbeadh Iain anseo …

Lig BJ osna chléibh.

Ní raibh sé ann agus bhí cibé pleananna a bhí acu neamhnithe ag an fhíric chrua sin. Na cinn bheaga agus mhóra a bhí acu, pleananna chun seomra *en suite* a dhéanamh dá seomra codlata nó chun dul ar saoire go fíonghoirt California nó *gîte rural* a thógáil ar cíos i ndeisceart na Fraince. Ní raibh aon bharántas ann riamh. Ní fhéadfadh aon chinnteacht a bheith ann choíche ach chreideadh sí go raibh blianta fada le chéile i ndán dóibh fad is a bheadh an tsláinte acu. Chomh marbh le hIain a bhí na pleananna sin anois. Cibé rud a dhéanfadh sí feasta, ní bheadh seisean in éineacht léi. Agus … agus – mhothaigh sí féin deoir ina súile gur thriomaigh iad le heireaball an bhraillín – thiocfadh an lá nuair a thréigfeadh na cailíní í fosta.

Bhí Heather le dul isteach in árasán le dornán cailíní sular cailleadh Iain. Cuireadh an plean sin ar athló tar éis a bháis. Ach le déanaí bhí sí ag caint ar dhul in aontíos le Rob … Bhí BJ i ndiaidh a chur in iúl di gurbh fhéidir … gurbh inmholta dá hiníon moilliú agus, b'fhéidir, a thuilleadh machnaimh a dhéanamh air, b'fhéidir, sula dtógfadh sí an chéim sin … Níorbh fhiú di, a thuig BJ, a rá léi gan fiacail a chur ann go raibh Heather ró-óg … D'inseodh an aimsir cad a tharlódh sin. Ach bheadh Heather ag bogadh amach luath nó mall.

Leanfadh Sue í. Tugadh an bata agus an bóthar do Tom ach bheadh ógfhear eile ann. Bliain nó dhó eile bheadh Kate ag déanamh ar an ollscoil. Seans nach rachadh sí chuig ceann sa taobh sin tíre, rud a chiallódh nach mbeadh sí ag cur fúithi sa bhaile. Róluath a bhí sé, gan trácht ar a bheith rómhall san oíche, le bheith ag smaoineamh ar a ndéanfadh BJ féin ansin, an bhfanfadh sí sa teach seo ina haonar. Ba leor di díriú ar aon lá amháin, ar aon seachtain amháin. Ba ghá di díriú ar a leithéid mar dá smaoineodh sí ar an am amach roimpi, níorbh fhada go mbeadh sí cráite faoina mbeadh i ndán dá clann iníonacha dá dtarlódh aon rud di féin … dá bhfaigheadh sí féin bás. Ó sciobadh Iain uathu gan choinne, bhí a fhios ag BJ go dtiteann drochrudaí amach.

Uaireanta, mhothaíodh sí místaidéartha ar a cosa. Ní fhéadfadh sí an leabhar a thabhairt nach mbraitheadh sí a leithéid sular maraíodh Iain. B'fhéidir go raibh sí níos airí ar chomharthaí sóirt agus gurbh fhusa í a scanrú. Ní dócha go raibh a dhath tábhachtach ann ach b'inmholta di coinne dochtúra a dhéanamh ar eagla na heagla. Ach cinnte a bhí BJ faoi rud amháin. Ar nós na duilleoige san fhómhar, duilleog a sheargann ar chraobh go dtiteann sí go talamh go bhfeonn ann, bhí a banúlacht ag crapadh is ag druidim cheal an dlúthchaidrimh agus an tadhaill a lean é …

Bhí na cailíní i ndiaidh a rá léi gur chóir di imeacht amach níos minice. B'fhéidir gur mhothaigh siad ciontach toisc go raibh saol sóisialta gníomhach acu. B'fhéidir gur shíl siad go raibh sise ag cur coisc orthu de réir mar a d'fhéach siadsan le bogadh ar aghaidh lena saol. Agus gan dabht, theastaigh uathu go mbeadh sí sona sásta – nó chomh sona sásta is a thiocfadh léi a bheith.

"Ba bhreá linn é, a Mhaim," arsa Heather léi an mhí roimhe sin, "dá mbuailfeá le duine éigin a dhéanfadh rudaí in éineacht leat … le dul chuig an phictiúrlann, leis na siúlóidí sin a roinnt leat, le dul ar saoire leat."

"Tá tréan cairde agam," a d'fhreagair BJ go cosantach.

"Cara speisialta atá i gceist agam," arsa Heather. "Fear."

"Cad é?" arsa BJ.

"F-E-A-R. Tá a fhios agat na créatúirí sin a chuireann amach an bruscar is an gabhdán athchúrsála uair sa tseachtain."

"Níl … níl mé réidh chun a leithéid a dhéanamh … Tar éis d'athar …"

"Ná habair liom nach dtiocfadh leat grá a thabhairt d'fhear eile i ndiaidh Daid. Níl mé ag caint ar an ghrá. An chuideachta atá á mhaíomh agam, cibé rud eile a thiocfadh dá barr. Ní bheadh Daid ag iarraidh go mbeifeá leat féin go deo …"

Chuir BJ deireadh prap leis an chomhrá sin. Faoi réir a bhí sí nuair a tharraing Heather an t-ábhar céanna anuas seachtain ina dhiaidh sin.

"Tá mé i ndiaidh clárú i gclub leabhar," arsa BJ. "Buailimid le chéile uair sa choicís. Beidh an chéad chruinniú ar siúl i gceann cúpla seachtain."

"Bhuel, tús é sin. Ach bheadh imní orm faoin sórt fir a rachadh chuig grúpa mar sin. Iad cráite goilliúnach. Fadhbanna móra pearsanta acu … iad ar lorg máthar a léifeadh scéalta dóibh lena gcur ina gcodladh … Fan go gcloisfidh siad gur baintreach thú a bhfuil teach agat …"

In ainneoin mhagadh Heather, thuig BJ go raibh áthas ar a hiníon go raibh sí tar éis dul sa chlub. Gan dabht, bheadh Heather ag iarraidh fáil amach an raibh aon fhear oiriúnach ann. Ba chuma. Ba dhoiligh do BJ a shamhlú go gcuirfeadh sí sonrú in aon fhear. Cibé ar bith, bhí rúnaí an chlub tar éis a insint di gur mná amháin a bhí ann.

Las BJ an solas ar an tábla cois leapa. Bhí sí ina lándúiseacht. Bheadh tuirse uirthi ar maidin ach bhí an club leabhar i ndiaidh a leas a dhéanamh cheana tríd an tromluí a ruaigeadh as a haigne.

Ina luí i gcoinne ghrianghraf d'Iain a bhí an liosta léitheoireachta a chuir an rúnaí chuici tríd an idirlíon. Rug BJ air gur iniúch é. Meascán d'úrscéalta agus de chnuasaigh ghearrscéalta a bhí ann. Meascán de sheanleabhair mhór le rá agus de leabhair nua a bhí ann. Bhí corrcheann acu áit éigin ar sheilfeanna an tí. Cheannódh sí na cinn eile. Agus ... d'fhéach sí ar an teideal faoi dhó ... is ea, d'aithin sí é. *An Focal Scoir.*

"Caithfidh go bhfuil fiúntas éigin sa leabhar más amhlaidh gur roghnaigh an club é," arsa BJ os ard. "Nó b'fhéidir gur leor go raibh na meigeadhollair sin tuillte ag an scannán."

Ar feadh meandair, agus í ag amharc ar theideal an leabhair ar an leathanach, bhí sí idir dhá chomhairle an raibh sí ag iarraidh a bheith sa chlub a thuilleadh, an raibh sí réidh chun leabhar Iain a léamh. Bhrúigh sí í féin amach as an leaba is rinne ar an seomra folctha. Níor ghá an solas a lasadh gur phioc sí suas an leabhar.

Caibidil a hAon Déag

D'fhill BJ ar a leaba. D'oscail sí an leabhar. Dhruid sí é.

Ní raibh sí réidh lena léamh. Go fóill. Sháigh sí an leabhar faoin cheannadhairt ar thaobh Iain den leaba. Mhúch sí an solas, ghlan na deora óna súile agus shín a deasóg isteach faoin philiúr le clúdach crua fuar an leabhair a thadhall.

I nDoire i 1957 a rugadh Pádraig Ó Siadhail, agus d'fhreastail sé ar Choláiste na Tríonóide Baile Átha Cliath. Tá saothair chritice agus neamhfhicsin foilsithe aige, mar aon le hailt in irisí mar Béaloideas, Irisleabhar Mhá Nuad *agus* The Canadian Journal of Irish Studies. *Ar na saothair is déanaí uaidh tá bailiúchán gearrscéalta,* Na Seacht gCineál Meisce agus Finscéalta Eile *(2001), agus beathaisnéis,* An Béaslaíoch, Beatha agus Saothar Phiarais Béaslaí, 1881–1965 *(Coiscéim, 2007). Is Ollamh Comhlach agus Sealbhóir Cathaoireach an Léinn Éireannaigh ag Ollscoil Naomh Muire, Halifax, Nova Scotia é. Cónaíonn sé in Timberlea, taobh amuigh de Halifax.*

DÁNTA

Proinsias Mac an Bhaird

AR BHÁD AG DAMHSA

Mise agus an fharraige
rinne muid damhsa inniu
os coinne Inis Caorach,

gan eadrainn ach
urlár rince mo bháid.
Choinnigh mé léi

coiscéim ar choiscéim
an ghaoth dár dtionlacan
ag gabháil fhoinn aeraigh

agus ag casadh ceoil
le rithim na slioparnaí
is le dordán an innill.

Chuaigh faoileán thart
a stiúraigh an damhsa
ag scairtigh amach na gcéimeanna

dár spreagadh lena ghlór.
Rinne mé luascadh léi
slioschéim agus léimt

chuaigh mé isteach is amach
suas agus síos, ag coinneáil
ama le tonnaí a cos.

Ba é an damhsa ab fhearr
a rinne mé le bliantaí,
is nuair a tháinig mé i dtír

d'amharc mé amach arís
go fonnmhar ar mo leannán rúin
is chaith mé póg ina treo

    ionas go mbeadh cuimhne aici orm
    nuair a tchífeadh sí arís
    ag céilí mé.

ON A BOAT, DANCING

Me and the sea
we danced today
out from Iniskerragh,

    nothing between us
    but the dance floor of my boat.
    I kept time with her

step for step
the wind accompanying
whistling an airy tune

    and twisting music
    to the rhythm of the splash
    and the drone of the engine.

A seagull stopped
to direct our dance
shouting out the steps

    encouragement in his voice.
    I swung her round
    sidestep and hop

advancing, retreating
up and down, keeping
time with her wave-clad feet.

That was the best dance
I had in years,
and when I came ashore

I looked out again
with joy at my love
and threw a kiss

so that she would remember me
next time
at the céilí.

AG LIGINT DON DOMHAN TEACHT I DTAITHÍ ORM

Fanfaidh mé ciúin tamall
le seans a thabhairt
don chloch, scéal a huaignis
a insint domh.
Fosclóidh mé mo chroí di.

Fanfaidh mé ciúin tamall
le seans a thabhairt
don aer, scéal a fhairsingeachta
a insint domh.
Séidfidh mé m'anáil air.

Fanfaidh mé ciúin tamall
le seans a thabhairt
don uisce, scéal a dhoimhneachta
a insint domh.
Silfidh mé mo dheora leis.

Fanfaidh mé ciúin tamall
le seans a thabhairt
don tine, scéal a loisceachta
a insint domh.
Cuirfidh mé mo lámh ionsuirthi.

IN UMHLAÍOCHT NA MBARD A CHUAIGH ROMHAM

Ar *Google*
tig m'ainm aníos i gcuideachta
Fhearghail Óig is Eoghain Ruaidh
cúis mhórtais bomaite,
go dtí go dtuigim nach bhfuil ionam
ach seangán lena dtaobh
coiscéim tholl ar thrá
is an t-uisce ag siosarnach tharam.

De réir m'ainm is mo dhúchais
tá sé agam ó thaobh na dtaobhann
Baird, Dálaigh, Griannaigh …
bheifí ag dréim le bardaíocht iontach uaim,
ach anocht níl ionam ach lagbhard
ag ceartú véarsaí ceoil
thar phionta uaigneach
ábhar náire do mo shinsir.

*In Árainn Mhór, amach ó chósta iarthair Thír Chonaill, a rugadh Proinsias Mac an Bhaird
agus chaith sé tamall ina chónaí i mBaile Átha Cliath agus i gCill Chainnigh. D'fhoilsigh
Coiscéim an chéad chnuasach filíochta uaidh,* Idir Beocht agus Beatha *(2004), agus ar na
leabhar eile i gcló aige tá* Cogar san Fharraige *(Coiscéim, 2002), cnuasach scéalta a bhreac
páistí síos faoi Scéim na Scol in Árainn Mhór sna blianta 1937–38,* An Tairiscint
(Coiscéim, 2006), úrscéal, agus Fear na Féile Vailintín agus Scéalta Eile *(Breacadh,
2010). Is múinteoir le stair agus Gaeilge i gColáiste Ailigh, Leitir Ceanainn é agus cónaí air
ar an bhaile sin.*

SOINÉID

Alan Titley

AN MHÍORÚILT

Ní hé d'imeacht as an saol seo is mó is ionadh
Ach do theacht isteach. Is í seo an mhíorúilt mhór!
Gur tusa seachas an síol sin a thit le fána anuas
A bhuail an sprioc, gur tusa an neacháinín óir.
Go raibh tú amuigh sara raibh tú istigh
Is go raibh tú istigh in aghaidh an tsaoil,
Gur bhuaigh tú an crannchur, is gur gathadh
Ionat pribhléid na beatha, agus an dé dhil.
Gur tugadh duit anam i measc na cré
Go raibh agat fiántas buile an cheoil
Go ndearna tú rince ar sheansúlacht chinniúna
Go bhfuair tú éachtaint bheag ar dhaille an eoil.
Is tusa tusa agus mise mise sinne go léir ar fad
Sifíní aeracha ábharacha a tháinig slán ón slad.

NA NUA-MHÁISTRÍ

Bhí siad ceart go leor, leis, tá's agat, na nua-mháistrí,
Níorbh é gur chás leo go háirithe, caitheamh sin an tsolais
I seomra suite, agus bean ag léamh litreach in aice le pota
Nó réaladh ar scéal bíobalta éigin ar son deárlaic mhaithis.
Ba thábhachtaí ná sin leo, sea, fucad, an taobh istigh amuigh
Agus an leite ar cheapamar gurbh intinn í, an cloigeann tairbh
Ar leathimeall na slí, an t-uaireadóir ag leá san oíche gharbh,
An béal oghma ag caint go milis líofa, an bhuile riamh gan ghuth.
Bhí a fhios acu cá raibh an treise béime, ag Munch a liú,
Ag Chagall na triantáin sa sneachta, tuair bhagracha de Chirico,
Rílí ruaille de Kooning i ngleann dathannach seo na neamhdheor,
Ag machnamh le scuaibíní ar nós caidreamh na tine le tlú.
D'adhmad díreach na daonnachta sular chuaigh an lasair as
Dhein den chéimseata éasca, rud guairneánach crom is cas.

Rugadh Alan Titley i gCorcaigh i 1957, agus rinne sé staidéar ag Coláiste Ollscoile Bhaile Átha Cliath. Is údar dhá leabhar déag é, ina measc cúig úrscéal, trí chnuasach scéalta, drámaí agus saothair scoláireachta. Foilsíodh Scríbhneoirí Faoi Chaibidil, *díolaim aistí bunaithe ar chlár raidió den teideal céanna, i 2010 ag Cois Life. Tá cnuasach dá chuid aistí,* Nailing Theses, *le foilsiú ag Lagan Press níos moille i mbliana. Is é an tOllamh Nua-Ghaeilge ag Coláiste Ollscoile Chorcaí é.*

FROM THE IRISH ARCHIVE

Seán Ó Ríordáin (1916–1977)

A suite of new translations.

CATS

1 The Cat

Leave the cat out by himself
in the deep dark night,
the high heavens for roof –
I couldn't.

Eyes like two cigarette butts
burning away in the night,
and terror in his kitten heart –
I couldn't.

Combed whiskers bristling,
and claws drawn for battle,
a house-cat's trust shattered –
I couldn't.

For I've supped cat-thoughts,
and the cat's watched mine
entering my eyes –
together we've grown.

Now I am half-cat,
and the cat half-man.
Sunder our union –
I couldn't.

To see in those eyes
cats' generic gall
for humankind –
hell.

2 Incatation

The cat worships its body,
loves to unravel.
Tonight she stretched out
into many a catful.

She turns from cat into cat,
at the lift of a paw.
More like a wheel than a cat
spinning to and fro.

She expresses her self,
sheds catalogues of skins.
At full stretch, she counts
herself with a grin.

Tonight I've seen scores
of incatations,
and still to come,
not scores but millions.

3 Cross

her cat-form
in your mind
with a woman,
and you'll find
a fine figure
of a woman
if you were
a tom.

4 Tailed

She found she was a cat.
Nothing strange about that,
she'd always been a cat —

four-footed and quiet,
supple as a river,
tail sticking out of her,
seeing at night, sharp claws
for scratching, and miaows.

Hard to imagine, but
if I were to turn cat,
I'd find it weird,
the scratching awkward,
the tail, miaow-miaows,
not to mention the paws ...

What's not odd is my hand.
It's part of who I am.
And my bum's no stranger.
It goes with my brain here,
making me a full-
fledged intellectual.
But to be cat-suited,
tom-tailed, -whiskered, -booted
is way beyond my ken.
Off the map for me, man.

A tail could be like clothes
if it were just to grow
on you, casually,
strand by strand until
it topped and tailed
you, catinually.

Translated, from the Irish, by Frankie Sewell.

SCANSION

A nurse is moving round the ward
In a sunny evening halo

And the pulses in each sickbed
are beating to her tempo.
She stands a while at each man's side
And listens with a smile or frown.
When she counts each beat
She taps her feet
and marks the feverish rhythm down
that beats against her fingers.

When she slipslides out in syllables
Their deaths are murmuring in their veins.
The Angelus rings around the room
And in each cell of blood and bone
A monk takes up his orisons.
The syllables rise in ancient prayers
But each pulse beats in rhyme and rune
To the coolness of her fingers.

THE GIANTS

Like thunderbolts, the pain descending,
Waves of it.
I can hack this. This is nothing
I tell myself.

Morning will bring ease
But the sun has risen
And the pain – Jesus, I'm broken
Every cell stitched on the cross.

The pains are plural and arguing.
I am their subject now.
I contain every verb and noun
In the their lexicon.

They chew my flesh and suck
The sap from my veins.

I am their well-mannered host,
Humble and meek.

They have won the day.
I'm lost.
The enemy is in the house. Patience
and I'll wait my chance.

No. This pain is tearing me apart.
As I surrender
I let out a wild scream
And my soul rises in wonder.

I scream against God.
Do your worst, Christ,
Let loose every pain in the armoury.
I'm finished.

Like rain, solace descending
And strength.
I make out two giants side by side
The scream, and God.

Translated, from the Irish, by Mary O'Malley.

HELL

Although I have seen horns
As shapely as a temple,
And a young woman bearing
Ancient womanliness,
And the serenity of smithy work
On smooth metals,
My thoughts are as ruined
As the ivory of a chipped tooth.
There's breadth of thought
In the smallest sentence,

And stretching of mind
In what's great or small,
There's fishing for thought
In the light around us
But my soul's imprisoned
In the gloom of venial sin.

LISTEN TO THE RIVER-SOUND

We went out walking in the night,
A woman and three men,
The river remorselessly talking to itself,
And though I did not understand half of that chatter
I knew it was wholly in earnest —
I knew there was no trickery
In one single drop of its talk,
But clear waterconversation.

I was spouting my foolishness
Into the night without cease,
Wearing my flippant mask
Of words without worth
False on the face of my soul,
Dazzling the two beside me
So they would not see my gaping wounds,
Would not hear me groaning.

But now that I walk alone
Let my soul be bare and uncovered,
And I will speak to myself
As the river spoke without trickery
When it rose a poem to the mountains
In its own weight of water,
Resisting the music of refusal
In a song of clear water.

Translated, from the Irish, by Theo Dorgan.

THE SIN

A sixpenny bit of a moon dropped
Into a purse-cloud, so slowly, shyly,
Like a swan stroking lake water in the swim,
And it gently brushed the night.

She edged to the bottom of the cloud-purse –
A well shaped soul of the night –
Like assonance gliding through poetry,
And I shivered under the cold spell of verse.

But a rabble-scream was hurled high and shapeless
Smashing the transparency of the night,
And I thought I saw scattered shards
Under trotters of insult on a dunghill.

I returned to the manuscript of the poem
But prose was there instead of poetry –
The moon and the clouds and the sky as usual –
Because there was sin on the soul of the night.

Translated, from the Irish, by Noel Monahan.

One of the most celebrated Irish-language poets of the twentieth century, Seán Ó Ríordáin was born in Baile Mhúirne, Co Cork in 1916. His native area was rich in Gaelic literature, and the Irish language was the predominant language of Ó Ríordáin's environment until the age of fifteen, when he moved to Inis Carra, an English-speaking area near Cork city. When he was a young man he was diagnosed with tuberculosis. He lived to the age of sixty and was constantly in poor health. Ó Ríordáin published four books of poetry: Eireaball Spideoige (A Robin's Tail, 1952), Brosna (Kindling, 1964), Línte Liombó (Limbo Lines, 1971), and the posthumous Tar éis mo Bháis (After my Death).

The above selection of translations are taken from a forthcoming Selected Poems of Seán Ó Ríordáin, edited by Frank Sewell, to be published by Cló Iar-Chonnachta in 2011.

Frank Sewell was born in 1968, in Nottingham, England, and educated at Queen's University Belfast and the University of Ulster. He has published essays on Irish poetry, several books of translated poems, and original poems in many journals. His own work was included in the anthology The New North: Contemporary Poetry from Northern Ireland, *edited by Chris Agee (Wake Forest University Press, 2008). He is currently Course Director of English at the University of Ulster, Coleraine.*